리더십이 답이다

리더십이

훌륭한 리더가 좋은 세상을 만든다

답이다

선영제 지음

사회 곳곳의 훌륭한 리더 탄생을 기대하며

　광화문을 오갈 때면 늘 이순신 장군의 동상 앞을 지나가게 됩니다. 그때마다 저는 이순신 장군의 리더십을 생각합니다. 특히 1597년 음력 8월, 12척의 배로 133척의 왜선과 맞서 세계 해전사에 길이 빛나는 완벽한 승리를 거두었던 명량해전을 떠올리면 위기의 순간 리더의 역할이 얼마나 중요한지에 대해 다시금 숙고하게 됩니다. 모두가 희망이 없다 여길 때 홀로 분전하여 고통 속의 강토와 백성을 끝내 지켜낼 수 있었던 것은 이순신 장군의 올곧은 결단력 덕분입니다.

　살아가면서 마주하게 되는 수많은 어려운 상황에서도 우리는 늘 올바른 길로 나아가기 위해서 노력하며, 그와 같은 순간에 리더는 뚜렷한 비전으로 구성원들을 이끌 수 있어야 합니다. 리더십이란 한 집단의 미래를 결정짓는 중요한 덕목입니다. 이순신 장군께서 굳건한 의지로 병사들의 사기를 진작시키고 뛰어난 전략으로 불리했던 전세를 우위로 끌어올려 나라와 백성을 지켜내었듯이 말입니다.

　흔히 리더십에 대한 정의는 리더십을 연구하는 학자의 수만큼 많다고 말합니다. 이는 그만큼 리더십이라는 학문의 체계화가 다양하다는 뜻일 것입니다. 이 책에서 저자는 오랜 기간 군 생활과 공직 생활에서 체득한 현장 경험과, 대학에서 학생들을 가르치면서 연구한 이론들을 종합하여 체계적으로 정리하고 있습니다.

리더십의 본질은 무엇인가로부터 시작하여 리더십을 효과적으로 발휘하기 위한 조건, 훌륭한 리더가 되기 위한 자질과 덕목, 그리고 리더가 갖추어야 할 9대 필수 핵심 역량과 훌륭한 리더를 양성하는 방법 등으로 구성된 이 책에서 우리는 이론과 구체적 사례들이 잘 연계되어 있음을 보게 됩니다.

그동안 리더십에 관한 수많은 책들이 국내외에서 발간되었지만 저자의 풍부한 경험을 바탕으로 한 이론과 실제의 융합이 이 책의 가장 큰 장점이라고 생각합니다. 또한 이 책은 '훌륭한 리더가 좋은 세상을 만든다'는 부제에서 보듯이 단순히 리더 개인의 성공이나 조직 목표의 달성 또는 리더십 학문의 발전이라는 차원을 넘어서, 우리 사회를 보다 좋은 세상으로 만들기 위해서는 훌륭한 리더가 사회 곳곳에서 성장하고 활약해야 한다는 철학을 함의하고 있습니다. 리더는 단지 효율적으로 일을 처리하는 사람이 아니라 올바른 일을 하는 사람이라는 말이 큰 울림으로 다가옵니다.

한 마리의 양이 이끄는 사자떼보다 한 마리의 사자가 이끄는 양떼가 더 강하다는 우화를 통해 리더십의 중요성을 새겨왔던 옛날을 회상하며, 모쪼록 이 책이 널리 읽혀 저자의 바람이 조속히 이루어지기를 기대합니다.

(전) 국방부 장관 한민구

리더십을 알면 성공의 문이 열린다

'구슬이 서 말이라도 꿰어야 보배'라는 말이 있다. 리더십의 중요성을 암시하는 말이다. 구성원들을 보배처럼 다루어 성공하는 리더가 있는가 하면 돈키호테처럼 독불장군으로 행동하다가 실패하는 리더도 있다.

우리 역사는 기적의 역사라 해도 과언이 아니며 거기에는 언제나 훌륭한 리더가 있었다. 세종대왕의 애민(愛民) 리더십이 없었다면 우리는 문자 없는 민족이 되어 역사가 완전히 달라졌을지도 모른다. 이순신 장군의 탁월한 리더십이 없었다면 조선은 망했을지도 모른다. 당시 지상군은 연패를 거듭했는데, 똑같은 최악의 여건에서도 이순신 장군이 이끄는 수군은 연전 연승했다. 이승만 대통령의 확고한 반공 리더십이 없었다면 대한민국이 존재했을지 의문이다. 박정희 대통령의 국가 건설 리더십이 없었다면 한국에 경제 기적이 있었을지 궁금하다. 삼성전자와 현대그룹의 신화도 이병철·이건희와 정주영의 리더십이 아니고는 설명하기 어렵다. 수천 년 잠자던 농촌을 깨웠던 새마을 운동도 새마을 지도자 없이는 성공하기 어려웠을 것이다. 평범한 수준을 벗어나지 못했던 한국 축구도 히딩크의 리더십으로 월드컵 4강 신화를 이룩할 수 있었다.

리더가 리더십을 발휘해 구성원들을 보배로 만들어 이끌면 놀라운 성과가 도출된다. 한 사람 한 사람의 능력은 한계가 있기 마련이지만 여러 사람의 지혜와 에너지와 열정을 모으면 무엇이든 해낼 수 있다. 인간의 위대함은 협동 생활에 있으며 그 협동 생활을 성공으로 이끄는 것이 바로 리더십이다. 리더십은 조직원들의 자발적 팔로어십(followership)을 이끌어내어 불가능을 가능하게 만들고 신화를 창출한다.

현재를 리더십 위기의 시대라고 한다. 세상이 급변을 거듭하고 있기 때문이다. 10년, 20년 후가 아니라 당장 1년, 2년 앞도 어떻게 될지 모른다. 불확실성이 크다는 의미다. 이럴 때야말로 리더십이 중요하다. 리더가 미래에 대한 꿈과 비전을 제시하고 조직을 이끌어가야 한다. 지금 한국은 심각한 리더십 위기를 겪고 있다. 구심점이 없는 가운데 분열과 갈등, 오합지졸 같은 현상이 도처에서 벌어지고 있다. 세상이 불안정하고 불확실할수록 리더십이 요구된다. 리더는 위기의식과 경각심을 가지고 조직을 지휘해야 한다. 도시국가 싱가포르가 일류 국가 경쟁력을 갖게 된 것은 지도자들이 끊임없는 위기의식으로 팀워크 리더십을 발휘해 왔기 때문이다. 우리 사회 각 분야에서 리더십이 발휘될 수 있다면 새로운 기적은 언제 어디서든 가능하다고 확신한다.

그런 점에서 선영제 장군의 자서전적 리더십론은 주목받아야 할 가치가 있다. 그는 초급장교 시절부터 자신의 리더십에 특별한 관심을 가지고 몸소 실천해 왔으며 그 경험을 리더십 연구로 체계화했다. 그는 리더십의 성공은 부하들의 능력 발휘에 달렸다는 것을 잘 알고 있었고, 항상 '조직의 풀(full) 가동'에 초점을 맞추었다. 대대장 시절, 매번 소외되어 왔던 부사관들을 인정하고 격려하여 모든 부사관들의 능력 발휘를 도왔고, 그들의 자발적인 협력으로 최고의 부대를 만들어냈다. 연대장 시절에는 진흙탕 보급로에 모래와 자갈을 깔아 병사들의 고충을 덜어주었고, 수송부 사병들의 사기를 북돋음으로써 교통사고 없는 부대로 만들었다. 또한 노래하는 부대를 만듦으로써 사기를 충천시켰고, 전쟁기념관 관장 시절에는 조직의 혁신과 역량 강화를 통해 침체를 거듭해 왔던 공공조직에 획기적인 변화를 이룩했다. 그 외에도 이 책에는 그가 직접 실천했던 많은 리더십 성공 사례들이 가득 담겨 있다.

리더십이란 보통 사람과는 상관없는 일이라고 생각하기 쉽다. 나 역시 젊은 시절에는 리더십에 관심을 기울일 여유조차 없었다. 그러나 선 장군의 책을 읽고 나니, 젊은 시절 이런 책을 만날 수 있었다면 얼마나 좋았을까 하는 아쉬움이 든다. 리더십에 관련된 내용은 인성 함양, 인간관계, 조직 관리, 문제해결 등 모든 사람에게 삶의 지혜를 주는 처세술이자 성공으로 이끄는 길잡이와 같다. 미국의 위대한 대통령 중 한 사람으로 꼽히는 트루먼은 고등학교를 졸업하고 10년 넘게 농장에서 일하다가 뒤늦게 입학한 대학교도 중퇴하는 등 학력이 뛰어나진 않았지만 전임 대통령들의 경험으로부터 배우겠다는 자세를 지녔기에 성공할 수 있었다.

학자들이 쓴 리더십 서적은 경험보다는 이론에 대한 내용이 많다. 이에 비해 선 장군의 책은 몇십 년에 걸친 경험과 오랜 시간 연구한 이론이 함께 들어 있어 실용적인 내용이 충만하다. 또한 군대 리더십은 가장 체계적이고 효율적이기 때문에 민간 분야에서 배우고 운용해야 할 부분이 상당히 많다는 점을 강조하고 싶다. 아이젠하워 대통령은 군대식 리더십을 백악관에 도입하면서 미국 대통령 리더십에 큰 변화를 가져왔다. 박정희를 위시한 군 출신 대통령들이 국가 경영면에서 높은 평가를 받았던 것도 군대 리더십 경험을 활용했기 때문이다.

20~30대 젊은이가 이 책을 읽고 또 읽어 자신의 것으로 만든다면 그의 미래가 밝을 것을 확신한다. 이미 각계각층에서 리더의 위치에 있는 사람에게는 이 책이 자신의 리더십을 점검하고, 조정할 수 있는 좋은 길잡이 역할을 해 줄 것이다.

대통령 리더십 전문가 김충남 박사

한평생 경험이 담긴 책을 반기며

　선영제 장군님과의 인연은 용산에 있는 전쟁기념관에서 시작되었다. 선친은 6·25 때 벌어진 낙동강 전투의 전쟁 영웅으로, 전쟁기념관 중앙홀에 흉상이 있어 자주 찾아뵙는데, 그곳에서 당시 관장으로 계신 선 장군님을 만나게 된 것이다. 첫 인상이 덕장(德將)이자 지장(智將)이었는데 대화를 나누어보니 역시 훌륭한 군인이었다. 그렇게 맺은 인연이 발전하여 선 장군님이 군인으로서 그리고 전쟁기념관장으로서 한평생 살아온 경험을 바탕으로 리더십에 관한 책을 내는데 추천사를 쓰는 영광을 얻게 되었다.

　사실, 최고의 리더십이 무엇인가에 대해선 정답이 없다. 저자가 밝혔듯이 리더십의 대가인 워렌 베니스(Warren Bennis)는 리더십에 대한 정의가 600개도 넘는다고 했다. 현실적으로 CEO의 리더십, 대통령의 리더십, 창업 벤처 기업가의 리더십 등 직업, 상황, 나라별로 리더십의 특성이 다를 것이다. 하지만 세계 역사를 볼 때 가장 중요한 리더십은 지휘관인 '군인의 리더십'이다.

　그 유명한 알렉산더 대왕, 칭기즈 칸, 나폴레옹, 웰링턴, 남북전쟁 때의 북군사령관 그랜드 장군과 남군 사령관 로버트 리 장군의 리더십은 서로 아주 다르다.

예를 들어 젊은 알렉산더 대왕은 항상 전투의 최선봉에 서서 강한 리더십을 발휘했지만 나폴레옹은 전선의 뒤편 언덕에 진을 치고 마치 체스판을 움직이듯이 프랑스군을 지휘했다. 영국의 웰링턴 장군은 나폴레옹과 달리 적의 포 사정권까지 접근하며 리더십을 발휘했다. 그랜드 장군은 장군의 특전을 누리지 않고 병사들과 같이 먹고 대화하며 강한 리더십을 발휘했다. 반면 남군을 지휘했던 로버트 리 장군은 항상 근엄했고 부하들과 거리감을 두었지만 그들로부터 존경을 받았다.

이 책은 저자가 직접 경험한 리더십 사례들로 가득하다. 하급지휘관인 소대장·중대장 시절 부하들과 동고동락하던 리더십 이야기, 중급지휘관인 대대장과 연대장 시절 부하들에게 동기를 부여하고 소통하던 리더십 사례들, 고급지휘관인 사단장·군단장 시절 인성과 창의력을 중요하게 생각한 리더십 경험들을 상세하고도 재미있게 기술하였다.

그간 국내에 리더십에 관한 많은 책이 나왔지만 CEO의 리더십 등 주로 비즈니스 리더십이었고, 외국 서적을 번역한 것들이 많았다. 그러나 이 책은 저자가 월남에 파병되어서부터 최전방 고지 대성산, 적근산에서 조국 대한민국을 지키기 위해 부하들과 총을 들고 땀을 흘리고 고뇌하고 소통하고 같이 먹고 마시고, 그리고 추위에 떨며 경험한 진짜 체험에서 나온 리더십을 국내의 리더십 이론과 접목하여 쓴 훌륭한 책이다.

이 책은 군인뿐만 아니라 공무원, 기업인 그리고 샐러리맨들에게 도움을 줄 것이다. 또한 앞으로 이 나라를 이끌고 군 복무를 할 젊은이들에게 강력 추천한다.

서강대학교 명예교수, (전) 경제인문사회 연구회 이사장 안세영

리더십이 답이다

조직의 성패는 리더십의 성패(成敗)에 달렸다. 여러 조건이 비슷함에도 제대로 된 리더가 있느냐 없느냐에 따라서 그 조직의 성패가 달라진다. 리더십은 구성원들에게 동기(動機)를 부여하여 현실을 타개하고, 미래를 향해 조직의 에너지를 분출시키는 역량이다. 현실에서는 이러한 리더십을 갖춘 사람만이 리더로서 인정받을 자격이 있다. 생각해 보자. 전쟁에서 실패하는 군대가 국민에게 환영받을 수 있을까? 대민지원이나 재난 대비 활동도 중요하지만 이것이 결코 군의 주 임무는 아니다. 조직의 인격적인 면모나 사회에 대한 봉사는 부차적인 요소다. 군의 최우선 임무는 전쟁에서 반드시 승리할 수 있도록 전투 준비 태세를 갖추는 것이다. 군의 리더는 이 점을 기억하고 이에 맞는 리더십을 발휘해야 한다.

오늘날 리더십은 풍요 속의 빈곤이다. 동서고금의 사례와 방법론이 속출하지만 공허한 메아리로 다가온다. 왜 그럴까. 인기 위주의 이상론적 리더십과 불신과 불통의 리더십으로 올바른 성과를 창출해 내지 못하기 때문이다. 흔히 관대하고 온유한 리더가 '선(善)'이며, 엄격하고 냉혹한 리더십은 '악(惡)'이라고 생각하기 쉬운데 현실은 그렇지 않다. 조직이 지나치게 관대함에 집착하다 파산(破産)하는 경우가 많고, 혹독한 체질 개선을 통해서 조직이 재생 기회를 잡는 경우도 있다. 리더와 구성원들이 서로 믿지 않고, 양방향 소통이 이루어지지 않는데 조직이 제대로 운영되는 일은 불가능에 가깝다.

　모든 조직의 성공과 위기의 본질적인 문제는 리더십에서 비롯된다. 이 사실은 예나 지금이나 변하지 않는다. 임진왜란의 국난에서 나라를 구한 것도 이순신 장군의 리더십이었다. 특히 12척의 배로 133척의 왜선을 물리친 명량해전은 이순신 장군의 리더십이 아니고선 설명이 되지 않는다. 미래에는 지금보다 더 심한 변화와 경쟁의 환경에 처하게 될 것이며, 더욱 훌륭한 리더십을 발휘하는 조직만이 발전하고 성장할 것이다. 리더십 창출에 실패하는 조직은 정체되고 방향을 상실할 것이며, 결국은 그로 인해 가져올 고통스러운 결과를 감수해야 할 것이다. 심지어 큰 조직이나 국가의 문제를 해결하고 발전하는 데도 리더십에 그 답이 있다.

　필자는 오랜 기간 동안 군(軍) 생활을 하면서 부하는 뒷전에 두고 자기만 위하는 지휘관도 보았고 심지어는 부하의 공을 가로채는 상사도 보았다. 그런가 하면 롤 모델(roll model)로 삼을만한 훌륭하고 존경받는 상관도 모셨다. 그 과정에서 적과 싸워 이길 수 있는 길의 핵심은 리더십이라는 것을 알게 되었고, 특히 군대에서 리더십이 가장 중요하다는 사실을 깨달았다. 따라서 어떻게 해야 부하를 잘 이끌 수 있는지, 리더십을 효과적으로 발휘하려면 무엇을 해야 하는지, 부하의 마음을 움직이는 리더가 되려면 어떻게 해야 하는지,

조직을 성공적으로 이끄는 리더를 어떻게 키워야 하는지 등에 많은 관심을 기울였다.

인생을 4단계로 나눈다면 20대는 준비기, 30~40대는 성장기, 50~60대는 성취기, 70대 이후는 성찰의 기간으로 나눌 수 있다. 필자는 어느새 성찰의 기간으로 접어들었다. 성찰의 기간에는 살아온 세월을 뒤돌아보며 지금까지 살아왔던 노하우와 경험들을 나누고 베풀어야 하는 것으로 생각했고, 이러한 마음으로 이 책을 출간하게 되었다.

필자가 군에 복무하며 각급제대의 지휘관 시절에 적용하고자 했던 리더십은 다음과 같다.

초급(初級)지휘관인 소대장과 중대장 시절에는 어떻게 하면 병사들을 잘 이끌 수 있을까 고민했다. 그래서 병사들과 함께 동고동락하면서 필요한 것을 찾아 해결해 주고자 노력했고, 한번 한 약속은 반드시 지켜야 한다는 것을 알게 되었다. 말과 행동이 다르면 결코 부하들은 따르지 않는다. 부하를 해롭게 하거나 이용하지 않고 실질적으로 도와주는 사람으로 인식되었을 때 지휘관과 부하는 하나가 될 수 있었고, 무슨 일이든 성공적인 임무수행을 할 수 있었다. 중대장 당시 군(軍)에서는 사격 측정 결과로 부대를 평가하여 포상 하거나 처벌하였다. 그래서 '부대 지휘관들의 최대 관심사는 어떻게 하면 사격을 잘 할 수 있는가'였다. 그 때에 필자는 태릉에 있는 사격선수단의 명사수를 찾아가 사격 잘하는 방법을 지도받았다. 또한 조준점을 표적의 어느 위치에 두어야 명중시킬 수 있는가를 알기 위해 소총의 탄도고를 파악하여 교육함으로써 사격 능력을 향상시킬 수 있었다. 이는 부여된 임무 완수를 위한 열정과 도전의 결과였다.

중급(中級)지휘관인 대대장과 연대장 시절에는 어떻게 하면 동기부여를 하여 부하들의 마음을 움직일 수 있을까 고민했고, '진정한 리더는 마음을 움직이는 리더'라고 생각했다. 대대장 시절에 부사관들의 능력을 인정해 주고 인격적인 대우와 함께 지휘관실의 문턱을 낮춰 열린 소통을 함으로써, 그들의 자발적 참여를 얻어낼 수 있었고, 그 결과 전투력 평가에서 좋은 평가를 받았다. 이는 리더십은 성과로 말한다는 것을 보여주었다.

연대장 시절에는 섬기는 자세로 부하들과 항상 함께하며 어렵고 힘든 것을 찾아 해결해 주려고 노력했다. 당시 필자가 근무하던 지역은 휴전선 지역인 대성산, 적근산 등으로 지형이 험해 항상 대형 교통사고가 일어날 가능성이 매우 높았다. 밤늦도록 수고하는 수송부 정비병들과 같이 라면을 끓여 먹으면서 기름때 묻은 손을 잡아주고 위로와 격려로 몸과 마음을 어루만져주었다. 또한 매월 부대 주제곡을 선정, 전 장병이 노래를 부르면서 잡념을 없애고 신바람 나는 부대를 만들려 노력했다. 연말에나 오는 전방 위문을 지양하고 연중 내내 부대 위문을 오도록 유도하여 현금 대신 물품으로 위문품을 받았다. 그러한 위문품으로 매월 군가경연대회를 실시하여 탁구대, 기타, 족구공 등을 상품으로 주었다. 부대원들은 잡념 없이 신바람 나게 부대 근무에 전념할 수 있었다.

고급(高級)지휘관인 사단장, 군단장 시절에는 특히 인성과 창의력을 중시했다. '군인이기 전에 먼저 인간이 돼라'며 인성을 함양하도록 노력했고, 창의적인 부대 지휘를 강조했다.

전역 후 기타공공기관장으로 근무하면서 군대 리더십 경험이 많은 도움이 되었다. 분야가 다르더라도 리더십의 내용은 비슷하다고 생각했다. 전쟁기념관장직을 수행할 때는 비전을 제시하고 이를 실천하기 위한 변화와 혁신을 함으로써 전쟁기념사업회 설치 목적에 맞는 기관을 만들고자 노력했다.

이 책의 1장에서는 조직의 성패는 리더십에 달렸다는 관점에서 리더십의 본질과 변화와 혁신, 시대가 요구하는 리더십에 대해서 살펴보았다. 2장에서는 효과적인 리더십을 발휘하는데 필요한 내용을 다루었다. 3장에서는 훌륭한 리더의 덕목과 아울러 성공하는 리더와 실패하는 리더의 특징을 살펴보았다. 4장에서는 성공한 리더가 되기 위해서 반드시 갖추어야할 9대 필수 핵심 역량에 대해 살펴보았다. 5장에서는 리더십 최고의 소명은 사람을 키우고 개발하는 것이라는 내용을 설명하였다.

리더다운 리더로 다시 태어난다는 것은 힘겹고 장기간이 소요되는 여정이다. 그러나 훌륭한 리더와 리더십만 있으면 국가도, 군(軍)도, 기업도, 그 어떤 조직도 지금보다 훨씬 발전할 수 있다.

이 책이 나오기까지 지도와 조언을 해주신 분들이 있다. 대한민국의 대통령 리더십 대가이신 김충남 박사님, 교정을 도와준 김대중, 김낙진, 김상현 선생과 아들에게 진심으로 고마운 마음을 전한다. 또한 출판을 기꺼이 허락해주신 도서출판 온샘 신학태 사장님께도 감사드린다.

2018년 3월

남한산성 기슭 연구실에서 선영제

차 례

추천사 사회 곳곳의 훌륭한 리더 탄생을 기대하며

추천사 리더십을 알면 성공의 문이 열린다

추천사 한평생 경험이 담긴 책을 반기며

프롤로그 리더십이 답이다

제1장. 조직의 성패는 리더십에 달렸다   23

   1절. 리더십이란?   24

   (1) 리더십은 왜 중요할까?   25

   (2) 리더십의 본질은 무엇인가?   28

   (3) 분야별 리더십 실태   38

   2절. 변화와 창조를 견인하는 리더십   47

   (1) 변화와 혁신 없이 성공한 리더가 될 수 없다   47

   (2) 창의력이 경쟁력이다   63

   (3) 지금은 융합과 협업의 시대다   74

   3절. 이 시대가 요구하는 리더십   82

   (1) 가치 추구 리더십   82

   (2) 진성 리더십   88

   (3) 맞춤형 리더십   93

   (4) 경영자 팀 리더십   96

제2장. 효과적인 리더십 발휘 조건   103

1절. 기본을 지키고 단순화하라   104
(1) 기본이 혁신이다   105
(2) 복잡하면 행동하기 어렵다. 단순화하라   109

2절. 실행력이 경쟁력이다   115
(1) 리더십의 성패를 좌우하는 실행력   116
(2) 당장 실천하라. 가장 적당한 때는 지금이다   119

3절. 현장에 답이 있다   121
(1) 문제의 해답은 항상 현장에 있다   122
(2) 현장에서 답을 찾아라   123

4절. 질문으로 리드하고, 요청하라   126
(1) 지시 대신 질문하라   127
(2) 요청의 힘을 활용하라   136

제3장. 훌륭한 리더가 되는 길   141

1절. 리더란 어떤 사람인가?   142
(1) 리더의 덕목   142
(2) 리더의 역할   150

2절. 진정성 있는 리더가 훌륭한 리더다   153
(1) 사람의 마음을 움직이는 요인들   153
(2) 훌륭한 리더상   159

3절. 성공하는 리더와 실패하는 리더   163

(1) 성공하는 리더들의 특징   163

(2) 실패하는 리더들의 특징   168

제4장. 리더의 9대 필수 핵심 역량   173

(1) 조직 관리 능력   175

(2) 인간관계 관리 능력   179

(3) 소통 및 설득 능력   188

(4) 의사 결정 능력   193

(5) 정보력   199

(6) 문제 해결 능력   201

(7) 갈등 및 분노 조절 능력   204

(8) 위기 및 리스크 관리 능력   208

(9) 유머 능력   217

제5장. 리더는 어떻게 만들어 지는가   225

1절. 학습을 통해 얻는 리더십   226

2절. 사람을 성장시키는 코칭   240

3절. 멘티에서 멘토로   244

에필로그 모두가 행복한 사회를 꿈꾸며   247

제 1 장

조직의 성패는
리더십에 달렸다

리더십에는 국경이 없고 시대 구분이 없고 남녀노소가 없다. 국가나 군, 기업 등 모든 조직에서도 별다른 구분이 없다. 리더십의 본질은 인간관계에 있기 때문이다.

리더십은 한마디로 정의하기가 힘들다. 개인마다 조직마다 조금씩 다를 수 있다. 리더십의 대가인 워렌 베니스는 리더십에 대한 정의가 600가지가 넘는다고 말한다. 이는 리더십을 정의하는 데 있어 정답은 없다는 것을 의미한다. 하지만 정답은 없더라도 모범 답안은 존재한다. 세상 그 어느 리더십도 완벽할 수는 없다. 사람과 상황에 맞아야 하고, 인간 자체가 불완전한 속성을 지녔기 때문이다. 따라서 우리는 어느 하나의 리더십에 치우치지 말고 상황에 따라 각각의 리더십을 활용할 줄 알아야 한다.

리더십이란 '공감'을 불러일으키는 '이야기'로 사람들의 '마음'을 얻는 것이다. 사방에 흩어져 있는 무미건조한 성공 키워드들을 상상력 넘치는 이야기로 엮어 감동을 선사하는 것이다. 리더십이란 사람을 이끄는 기술이다. 리더십은 성과로 말한다. 아이젠하워 장군(Dwight D. Eisenhower)은 "리더십이란 당신이 성취하고 싶은 일을 다른 사람이 원해서 하도록 만드는 기술이다"라고 하였다. 또한 인권운동가로 잘 알려진 제시 잭슨(Jesse Jackson) 목사는 "리더십은 다양한 편을 하나로 묶어내는 것"이라고 말한다.

리더십이란 오케스트라와 유사점이 많다. 리더가 지휘자라면 구성원들은 각기 다른 모양의 악기를 다루는 연주자와 같기 때문이다. 지휘자의 역할이 제일 크지만 연주자들 또한 자기 역할에 충실하면서 조직 구성원 간에 화음을 이룰 때 명곡이 되기 마련이다. 리더십은 이와 같이 모든 사람들이 자기 역할을 수행하면서 전체적으로 조화를 이룰 때 크게 발전할 수 있다.

따라서 필자는 '리더십이란 조직의 목표 달성을 위해 구성원들을 의사 결정에 동참시켜 공감대를 형성함으로써, 구성원들의 마음을 움직이고 동기부여 되어 자발적으로 조직 목표를 성과 있게 달성하는 영향력'이라고 정의한다.

(1) 리더십은 왜 중요할까?

리더십은 캄캄한 망망대해에서 희망을 비춰주는 등대와 같다. 세종대왕의 리더십, 이순신 장군의 불멸의 리더십, 박정희 대통령 리더십, 삼성·현대·포스코 등이 보여준 기업 리더십은 탁월한 리더십이 무엇인지 보여준다. 뛰어난 지도자가 나오면 조직이나 국가는 크게 발전했고, 함량 미달 리더십을 구사하는 지도자가 나타나면 쇠락의 길, 사양의 길을 걸었다고 역사는 말해주고 있다.

1960년대 아시아에서 가장 잘 사는 나라는 필리핀과 파키스탄이었다. 당시 필리핀 기술자들이 우리나라에 와서 광화문에 있는 정부 청사 일부와 장충동에 있는 체육관 건물을 지었다. 우리는 그러한 건물을 지을 기술도 능력도 없을 때였다. 이러한 필리핀이 불행하게도 3대에 걸쳐 능력이 부족한 최고 정치 지도자들을 만나면서 추락의 길을 걸었고 오늘에 이르렀다. 또한 한국은 1963년도에 우리보다 잘 사는 파키스탄으로부터 입법, 사법, 행정, 외무고시 제도 등을 벤치마킹하여 만들었을 정도였다. 이처럼 잘 살았던 파키스탄의 오늘의 현실은 어떠한가. 한국 또한 외환 보유액이 100억 달러도 안 되어 국가 부도의 절대 절명의 위기로 IMF를 맞았을 때, 1997년 12월 12일자 아시아 월스트리트저널 (Asian Wall Street Jounal)은 "한국의 리더십은 달러보다 더 고갈 되어 있다"고 보도했다. 한국의 경제 위기는 잘못된 리더십의 결과라고 말한 것이다. 이처럼 국가의 운명은 전적으로 국가 정치, 사회 지도자들의 리더십에 달려있다.

왜 그토록 리더십이 중요한가? 자리만 형식적으로 차지하고 있는 리더가 진정한 리더가 아니라 제대로 된 리더십을 발휘하는 리더가 참된 리더이다. 리더에게 리더로서의 진정한 역할이 요구되는 시대다. 민주주의와 시장경제 체제 하에서는 획일화된 명령과 지시가 아닌 자유로운 활동에 의해 공동체의 의사결정이 이루어진다. 또한 협의에 의한 합의가 이루어지기도 한다. 이슈의 결정, 토론의 과정, 의사결정, 그리고 결정을 실천하는 모든 단계에서 리더십이 요구된다.

무엇이 최상의 상태에서 일하게 하는가? 권력인가? 동기부여인가? 인센티브인가? 정답은 리더십이다. 리더십의 중요성 여부는 리더가 얼마나 리더십의 중요성을 인식하고 있느냐 없느냐에 따라 좌우된다. 리더는 팔로어(follower)인 다른 사람의 성공과 행복을 이끌어주어야 한다. 통상 사람들은 어떤 리더를 만나느냐에 따라 성공하거나 실패하고, 행복해지거나 불행해질 수 있다.

피터 드러커(Peter F. Drucker) 교수는 "많은 개발도상국들의 경제 개발이 부진한 이유는 자본, 기술, 원자재 등이 부족해서가 아니라 그것을 관리할 수 있는 관리자와 그 관리자의 리더십 부재에 기인한다"고 지적했다. 자원을 효율적으로 관리할 수 있는 리더십이 조직과 사회 발전의 요체임을 밝힌 셈이다.

조직과 리더십의 관계는 마치 자동차와 자동차 엔진과도 같다. 엔진의 열 효율성, 즉 연비가 높을수록 자동차는 적은 연료로 보다 많은 거리를 주행할 수 있다.

사회 시스템에서 리더십의 변환 과정을 살펴보자. 인적 요소, 물적 요소와 정보가 어떠한 리더십을 만나는지에 따라 제품과 서비스, 고객 만족이 각각 다르게 산출되어 나온다. 이처럼 시스템 산출 요소의 차이는 대부분 리더십에 의해 결정되니 조직이나 기업의 리더십은 그 조직의 효율성을 나타내는 지표와도 같다. 또한 리더십은 조직 내 다양한 인재들을 한 방향으로 모아주는 자석과 같다.

리더십의 변환 과정

투입 요소	변환 과정	산출 요소
인적 요소 물적 요소 정보	리더십	제품 서비스 고객 만족

리더가 조직의 성공과 실패에 결정적이고 직접적인 영향을 미치는 원인은 같은 상황에서도 훌륭한 리더는 이것을 기회로 삼고, 보통 리더는 오히려 잘못된 방향으로 몰고 갈 수 있기 때문이다. 오늘날의 기업, 사회, 군, 국가도 마찬가지로 어떠한 리더를 가졌느냐에 따라 조직의 미래가 결정된다.

모든 일의 성패는 리더십의 탁월함에 달려있다. 어떤 조직이 파멸의 위기에서 벗어나 기사회생하느냐, 추락하느냐는 전적으로 리더의 리더십에 달려있다. 그 조직의 리더는 누구인가? 그 사람의 경력은 어떠한가? 그 사람의 비전은 무엇이고 철학은 무엇인가? 그 사람이 사용한 전략과 전술은 무엇인가? 그 사람은 도대체 어떻게 사업을 성공시켰을까? 등등 사회과학 분야에서 리더십만큼 광범위하게 연구한 주제도 없다. 리더십의 역사는 대부분 군사적, 정치적, 종교적, 사회적 이야기로 서술되어 있다.

이제 리더십은 남의 이야기가 아니라 개인의 문제가 되었다. 가정에서는 부모로서, 조직에서는 업무에서, 각종 모임에서는 소임을 다하기 위한 '평범한 리더십'이 요구된다. 맡은 바 책무를 윤리적 기준에 맞춰 조용히 실천해 가는 이런 리더십이 모아질 때 우리 사회와 모든 조직은 더욱 발전을 거듭할 것이다.

(2) 리더십의 본질은 무엇인가?

리더십의 본질은 무엇일까? 무엇이 리더를 성공으로 안내하고, 실패하여 나락으로 추락하게 만드는가. 진정한 리더십의 본질은 한마디로 '인간에 대한 올바른 이해'에 있다. 공동체를 이끌어가는 리더도 인간이고, 구성원 또한 인간이다. 인간의 속성을 제대로 이해하는 사람만이 진정한 리더십을 발휘할 수 있다. 리더십의 본질을 인식하고 파악할 수만 있다면 누구나 뛰어난 리더가 될 수 있다는 의미다.

리더십의 본질을 파악하기 위해서는 먼저 '인간관계'를 살펴봐야 한다. 성경이나 불경, 논어의 대부분이 인간관계를 다룰 만큼 인간관계는 모든 것의 기초가 된다. 일방적인 수직 관계가 아닌 수평 관계, 상하 관계가 아닌 동등한 관계에서 '소통'하면 조직 구성원들이 적극적으로 의견을 피력할 수 있고, 이를 통해 조직의 목표 달성에 구성원들을 적극적으로 동참시킬 수 있다. 아울러 리더십 본질의 핵심 중 핵심은 '신뢰'이다. 신뢰 없이는 아무것도 할 수 없다. 이처럼 신뢰는 리더십의 성패를 좌우하는 결정적 요인이다. '영향력' 또한 중요하다. 리더(leader)가 팔로어(follower)들에게 어떠한 영향력을 어느 정도로 미치느냐에 따라 리더십 역량에서 차이가 나타난다. 마지막으로 살펴봐야 할 것은 '성과'이다. 제아무리 우수한 인재라 한들 성과를 창출하지 못하면 그 리더십은 실패로 간주된다.

이제 리더십의 본질인 인간관계, 소통, 신뢰, 영향력, 성과를 하나하나 구체적으로 살펴보자.

① 인간관계

리더십은 근본적으로 인간관계에 관한 문제이다. 인간에 대한 이해, 인간의 본성과 기본 심리를 제대로 이해한다면 누구나 진정한 리더십을 발휘할 수 있다. 리더십이란 인간관계의 얽힌 매듭을 풀어주는 능력이다. 주변의 어느 누구와도 스스럼없이 어울리며 분위기를 주도해 나간다면 절반은 성공한 것이다.

인간은 사회적 동물로, 혼자가 아닌 타인과의 관계를 통해 성공과 행복을 느낀다. 그러므로 현재 자신이 불행하거나 무슨 문제가 있다면 인간관계를 먼저 돌아보아야 한다.

미국의 카네기 공과대학 인간연구소에서 실패자 1만 명을 대상으로 설문조사를 한 결과, 전문 지식이 부족해 실패한 사람은 7%에 불과했고, 93%가 인간관계에서 실패했다고 응답했다. 성공학자인 시비 케라(Shivi Khera)는 성공의 85%가, 행복학자인 포웰(J. Powell)은 행복의 85%가 '원만하고 바람직한 인간관계'에 달렸다고 역설한다.

효과적인 리더는 건전한 인간관계를 가진 사람이고, 건전한 인간관계의 형성, 유지에서 중심적인 역할을 하는 사람이다. 인생은 인간관계의 역사 그 자체라고 할 수 있다.

인간의 본성 이해

알렉산더 대왕(Alexandros the Great)의 청년 시절, 명마(名馬)에 관한 이야기가 있다. 아버지께서 사나운 말을 구해 와서 이 말을 잘 다룰 줄 아는 사람에게 이 명마를 주겠노라 하였다. 명마가 탐이 난 신하들이 말을 다루려고 시도하였으나 워낙 사나운지라 제대로 다루지 못하고 절절맬 때 알렉산더는 그 말을 순순히, 유순하게 만들어 아버지에게 그 명마를 하사받았다. 알렉산더는 '말은 자신의 그림자를 가장 두려워한다'는 본성을 파악하고 말 머리를 그림자 쪽으로 돌려 고분고분 잘 따르게 하였던 것이다. 인간도 인간의 본성과 기본 심리를 정확히 이해한다면 상대방과의 관계를 개선할 수 있다.

인간의 본성을 잘 이해할 때 관계는 호전되며, 리더십이 정상적으로 발휘되고, 모든 일이 순조롭게 풀려 나간다. 인간은 이기심과 탐욕, 명예심, 이해관계에 따라 행동한다. 올바른 도리보다 이해의 원리에 지배 받고, 이해관계는 상황에 따라 수시로 변한다. 그래서 인간은 대하기가 어렵다. 인간은 개인차가 있어 각자의 주관이 다르고, 사고방식과 행동방식 또한 같지 않다. 남 이야기하기를 즐겨하고 소문내기를 좋아하는 것 또한 인간의 본성이다. 명령받기를 좋아하지 않고 인정받고 대접받고 존경받고 싶어 하는 욕구가 있다.

인간관계의 고수는 타인의 자존감을 채워줄 줄 안다. 인간의 감정과 욕구, 행동 방식을 파악하여 사람을 대할 때 관계는 호전되며 리더십 또한 정상적으로 발휘된다.

리더십과 인간관계

인간관계의 핵심은 믿음과 신뢰이다. 잘못은 자기한테서 찾고, 남에게서는 좋은 점을 찾아야 인간관계가 좋아지고 서로가 발전이 된다. 남의 책임만 따지면 모두가 원수가 된다. 조그만 배려, 관심, 칭찬이 자기를 좋아하게 만들고, 무관심, 질책, 무례함, 무성의, 조그만 실수가 큰 일을 그르치고, 자기를 싫어하게 만든다. 리더가 상대방 이야기를 경청하여 듣고, 참고, 품을 때 자기편이 되고 따른다. 인간에게 처음부터 적(敵)이나 편(便)이란 것은 없다. 적이 되는 것도 편이 되는 것도 이쪽 태도 여하에 달려있는 것이다. 리더와 구성원은 단지 역할과 직위가 서로 다를 뿐이지, 어느 면에서는 오히려 구성원이 리더 자신보다 더 나은 생각과 능력을 가질 수 있다는 사실을 인정하고 조직을 이끌어야 한다. 리더나 구성원은 모두 완벽한 존재가 아니기 때문에 리더는 일을 수행하면서 발생하는 구성원의 실수나 부족함을 질책이나 비난으로 탓하기에 앞서 동기나 과정을 살펴 관용하고 용서할 수 있는 리더십을 발휘함으로써 진정한 뉘우침으로 리더를 따르게 만드는 것이다.

어떻게 부드러운 인간관계를 만들 수 있을 것인가. 그것은 남을 탓하지 말고, 명확하게 이야기 할 것이며, 비교하지 말 것 등이다. 또한 상대방이 자기를 좋아하고 같은 편을 만들려면, 상대방의 가려운 곳을 찾아 해결해주고 도와줄 때, 그 사람은 고마워하고 내편이 되어준다. 이때 진정한 마음으로 대하고 꾸밈이 없어야한다.

② 소통

성공적인 리더십을 위해서는 무엇보다 소통이 중요하다. 진정성 있는 소통과 경청이 핵심이다. 리더십이란 '공감'을 불러일으키는 '이야기'로 사람들의 '마음'을 얻는 것이다. 커뮤니케이션 능력은 '자신의 생각과 의도를 효과적으로 전달할 줄 아는 힘'을 말한다. 이는 단지 언어 전달 능력만을 말하지 않는다. 사실(facts)에 기초하되, 자신의 생각이나 의견을 담아내고 상대방을 끌어 올 수 있는 감정을 실어내는 것까지 포함한다. 실제로 말을 통하여 의사소통하는 것은, 학자에 따라 다르지만, 대체로 20% 미만이고, 나머지는 표정, 눈빛, 몸짓, 행동 등을 통하여 소통한다. 이런 비언어표현 방법 모두를 제대로 갖추지 않으면 안 된다.[1] 협력

---

1 류지성, 『마음으로 리드하라』, (삼성경제연구소, 2011), 104쪽.

을 통해 업무를 처리해야 하는 파트너십 관계나 팀원들과의 관계 및 대인관계에서 효과적인 커뮤니케이션 기술의 필요성은 절대적이다. 커뮤니케이션의 핵심은 양방향으로 이루어진다는 데 있다. 피드백을 통하여 상대방이 전달하려는 메시지의 본래 의미를 잘 파악해야 자신의 의견도 정확히 전달할 수 있기 때문이다. 조직이나 집단 내에서 원활한 의사소통이 잘 이루어지느냐 그렇지 않느냐의 여부에 따라 리더십의 효과가 좌우된다.

경청

커뮤니케이션 능력을 향상시키기 위해서는 적극적으로 경청하는 자세부터 갖춰야한다. 조직의 구성원들이 자신의 아이디어나 제안 및 문제점들을 리더와 함께 나누고 싶어 하도록 경청의 기술을 키우라는 것이다.[2]

리더에게 소통은 곧 경청으로부터 시작된다. 세련된 화법은 듣는 것으로부터 출발한다. 인간은 선천적으로 말하기를 좋아한다. 반면 남의 말을 듣는 데에는 말하는 것만큼 관심을 두지 않는다. 자신의 생각과 주장을 올바르게 전달하기 위해서는 먼저 상대방의 의견을 진지하게 들어야한다. 남의 의견은 무시한 채 자기 주장만을 되풀이하는 사람은 타인을 배려할 줄 모르는 사람이다.

경청을 하기 위한 스킬은 다음과 같다. 먼저, 눈을 마주치며 들어야한다. 경청은 '무엇을 들을 것인가'도 중요하지만 '어떻게 들을 것인가'도 중

---

2 밥 애덤스(임태조 옮김), 『팀장 리더십』, (위즈덤 하우스, 2005), 17쪽.

요하다. 즉 경청은 태도, 자세의 문제다. 그리고 전달받는 주요 내용을 요약한 후 자신의 의견을 말해야 한다. 눈동자를 마주치고, 맞장구를 치면서 상대방이 한 이야기를 간단하게 요약하면 더욱 효과적이다. 마지막으로 말하는 사람의 감정이나 기분을 읽어야 한다. 팀원이 자신의 고충을 이야기하거나 불만을 이야기할 때는 감정이 고조되어 있는 상태라고 할 수 있다. 서로 공감하고 있다는 것을 느껴야만 비로소 소통이 이루어지기 때문이다.

좋은 리더가 되려면 적극적인 경청은 기본이다. 피상적으로 말만 듣는 것이 아닌 상대방의 어조, 표정, 제스처 등을 함께 읽음으로써 맥락까지 헤아려 들을 줄 알아야 한다.

③ 신뢰

신뢰(信賴)받지 못하는 리더는 성공할 수 없다. 신뢰는 모든 관계에서 핵심 기반이 된다. 신뢰야말로 성공하는 리더십의 가장 중요한 특성이며, 신뢰가 없으면 조직의 재앙은 불가피하다. 신뢰를 구축하고 유지하는 능력은 리더십의 핵심 척도다. 당신이 세상에서 가장 화려한 비전을 가졌다 하더라도 조직 내에 신뢰가 없다면 아무런 의미가 없다. 신뢰란 모든 시스템을 유지해주는 사회적인 접착제다. 신뢰란 얻기는 어렵지만 잃기는 쉽다.[3]

신뢰란 상대방 때문에 내가 피해를 볼 가능성이 있더라도 믿어주는 것을 뜻한다. 신뢰는 믿어달라는 말 한마디로 불쑥 솟아나는 그런 게 아

3　워렌 베니스 외(김원석 옮김), 『리더와 리더십』, (황금부엉이, 2005), 6~11쪽.

니다. 신뢰는 변치 않는 성실성, 어제와 오늘이 다르지 않는 일관성, 문제를 해결해 내는 능력이 잘 어우러질 때만 만들어진다.[4] 리더에 대한 신뢰가 전제될 때 비로소 구성원들은 리더의 말을 따른다.

능력과 인격에 대한 신뢰

임진왜란 당시 충무공이 승리한 최고의 전투는 1597년에 이긴 명량대첩이었다. 이순신 장군은 5개월간의 감옥 생활 직후에 칠전량 전투로 궤멸된 조선 수군을 이끌고 12척 대 133척의 대결이라는 최악의 조건에서 승리를 거두었다. 이순신 장군의 능력과 인격, 성품을 믿고 따른 부하들의 신뢰가 승리의 결정적 요인이 되었다.

여기서 리더십에서는 신뢰가 매우 중요하다는 것을 알 수 있다. 리더의 능력에 대한 신뢰와 인격에 대한 신뢰, 이것이 바로 리더십의 본질이다. 능력에 대한 신뢰는 리더가 어떤 일이든 잘 수행할 것이라고 믿는 것이다. 팀장이 거래처와의 협상에서 좋은 결과를 도출할 것이라고 믿는다든지, 군대의 지휘관이 전투에서 적의 도발을 제압할 수 있다고 믿는 것 등이 있겠다. 한편 인격에 대한 신뢰는 리더가 나와의 관계를 소중히 한다는 믿음이며, 따라서 리더가 그 관계를 해치는 선택을 하지 않을 것이라는 기대를 말한다. 리더가 나와의 관계를 소중히 한다면, 리더는 나에게 거짓말을 하지 않을 것이고, 나의 이익을 해치지 않을 것이며, 내 말을 경청할 것이고, 나아가 내가 잘 되도록 도울 것이라는 등의 기대가 여기에 해당한다.

---

4 류지성, 『마음으로 리드하라』, (삼성경제연구소, 2011), 104쪽.

신뢰는 쌓기는 힘들지만 잃는 것은 순간이다. 20년을 공들여 쌓아 올린 신뢰가 허물어지는 데는 5분이면 충분하다. 신뢰보다 더 큰 자산은 없다. 지금 모든 것을 다 잃었다 해도 신뢰를 잃지 않았다면 조만간 재기에 성공할 수 있다. 그런 의미에서 신뢰는 소중한 무형자산이다. 한번 잃어버리면 돈과 사람보다도 되찾기 어려운 것이 신뢰이다.[5]

신뢰는 하루아침에 생겨나지 않는다. 오랜 시간 반복된 관계 속에서 형성된다. 신뢰가 없다면 아무 일도 이룰 수 없다는 사실을 반드시 명심하자.

'자네를 믿네', '화이팅', '기대가 크네'와 같은 신뢰의 한마디가 구성원들을 고무시킬 수 있다. 따라서 이러한 말을 자주 사용하는 것이 좋다.

④ 영향력

리더십에서 가장 중요한 요체는 영향력이다. 리더십은 '영향력', '사람을 다루는 기술', '일을 해내는 능력'이라고 말하기도 한다. 크리스 와이드너(Chris Widener)는 그의 저서 『영향력』에서 왠지 모르게 만나고 싶고 만나면 편해지는 사람, 마음이 끌리는 힘을 '영향력'이라고 말했다. 상대방에 대한 배려, 감사, 겸손, 경청 등이 모여 영향력을 만든다. 영향력은 '다른 사람의 생각, 믿음, 행동을 바꿀 수 있는 힘'이기도 하다. 상대방을 감화시키고 자발적으로 변하게 만드는 영향력이 있어야 진정한 리더다.

인도의 마하트마 간디(Mahatma Gandhi)는 공식 직함이 없었지만

---

5 한근태, 『나는 어떤 리더인가』, (올림, 2011), 99쪽.

엄청난 영향력을 가졌고 누구나 그를 리더로 인정했다. 반면 높은 위치에 있어도 조직 내에서 아무런 영향력을 행사할 수 없다면 그는 더 이상 리더가 아니다. 높은 직책을 무기 삼아 다른 이들을 휘두르는 사람은 진정한 리더가 아니다. 사람들은 그가 가진 직책에 부여된 권한 때문에 앞에서는 비굴한 태도를 보이지만 뒤에서는 무시하고 경멸한다. 지위나 돈과 같은 조건에 의지한 리더십은 조건이 사라지면 함께 소멸한다. 반대로 고매한 성품과 호감 가는 성격으로 영향력을 발휘하는 리더십은 자발적 복종을 가져오고 오랫동안 지속된다.

리더가 영향력을 갖추려면 사람들과 온전한 관계를 맺고, 신뢰하고 경청하며 이해하고 성장시키며, 나아갈 방향을 제시해야 한다.

⑤ 성과

리더십은 결국 성과로 말한다. 리더십은 지속적인 성장을 만들어 내는 경영 능력이다. 재능과 노력만으로는 부족하다. 열심히 해도 결과가 없으면 곤란하다. 성과를 내기 위해서는 '나는 어떤 실적을 올렸는가?', '어떻게 이런 실적을 냈는가?'라는 질문을 늘 떠올려야 한다. 여러 직업의 리더들은 스스로 과거 실적, 현재 실적, 미래 예상 실적을 확인하고 검토해야 한다. 그리고 그 결과에 책임을 져야 한다. 성과는 신뢰를 높이는 최대의 무기다.

리더십은 조직의 목표를 달성하기 위해 구성원이 자발적으로 헌신하도록 이끄는 것을 말한다. 이는 리더의 중요한 평가 요소가 된다. 아무리 리더의 학력, 학벌이 우수하고 경력이 화려하더라도 조직 구성원 관리에 소홀하여 만족스런 성과를 만들어 내지 못하면 무용지물이다. 반대로 학력이나 경력이 부족하더라도 지속적으로 성과를 창출하면 입지전 (立志傳)적인 인물로 추앙받는다.

리더십은 다양한 편들을 하나로 묶어 조직의 공동 목표에 대한 성과를 보여주는 것이다. 모든 직종의 리더들은 도덕적 승리보다는 구체적인 업적으로 평가받는다. 결국 리더십은 성과로 말한다.

(3) 분야별 리더십 실태

대한민국의 리더십 현주소는 한마디로 '리더는 많은데 리더십의 결핍이 심한 상태'라고 할 수 있다. 공존과 공영의 시대정신에 걸맞은 리더가 없기 때문에 정치, 법조, 경제, 군, 노동, 교육, 문화 등 우리 사회 전반에서 이해 당사자들 간에 발생하는 갈등을 조정하여 해결하기는커녕 오히려 분열과 갈등만 조장하고 있다. '제대로 된 리더십의 회복'이 절실한 시점이다.

리더가 된다는 것은 자격증을 따는 것처럼 단번에 이루어지지 않는다. 대한민국을 경쟁력 있는 선진 국가로 만들고 국제 경쟁에서 살아남기 위해서는 무엇보다 각 직업 분야의 리더들이 사명감, 책임감, 전문성을 갖추어야 한다. 분야별로 좀더 구체적으로 리더십의 현주소를 살펴본다.

① 정치 리더십

국가의 존재 목적은 생존과 번영에 있다. 생존은 국가를 지키는 일이고, 번영은 경제 문제를 해결해 국민 삶의 질을 높이는 것이다. 국가 리더십은 다양한 요소들을 통합하고, 이해 당사자들의 이해관계가 조정 통제되어 통합의 장(場)으로 유도되어야 한다.

조직론의 관점에서 볼 때, 대통령제는 업무 영역이 지나치게 광범위하고 여러 세력 간의 다양한 이해관계에 얽혀 있다. 조직으로서의 목표가 지나치게 포괄적이며 목표 달성을 위한 수단도 다양하기 때문에 효과적인 목표 달성이 어렵다. 또한 대통령이 어떤 정책을 추진하면, 이로 인해 이익을 보는 측과 손해를 보는 측이 있기 때문에 정책의 성공을 판단하는 것은 간단치 않다.[6]

정치 리더십은 성공하기 어렵다. 한국의 경우는 더욱 그렇다. 국회, 지방 행정 기구, 언론 등이 제대로 된 역할을 못하고 있기 때문이다.

우리나라의 경우, 대통령과 집권 세력이 현실적인 제약 요건들을 인식하지 못한 채 거창한 국가 목표를 추구하느라 실현 가능한 국가 경영 전략이 부재했다. 대통령이 성공하기 위한 유일한 방법은 간접 경험을 하는 것이다. 즉, 과거 대통령들이 어떻게 일했는가를 가능한 한 객관적으로 서술하고 평가해야하며, 이를 바탕으로 전직 대통령과 정부의 경험에서 배워야 한다. 그러나 현실은 그렇지 못하고 있다.

선거에 의해 선출되는 정치인이나 투표하는 국민들의 의식 수준이 국가의 장래를 결정한다는 사실에 무거운 책임감을 가져야한다.

정치인 전체, 모든 정당과 선거가 나라 전반의 리스크가 되어가고 있다. 선거철만 되면 국민에게 자세를 낮추고 겸손한 척하며, 공약(空約)

---

6   김충남, 『대통령과 국가경영2 ; 노무현과 이명박 리더십의 명암과 교훈』, (오름, 2011), 310쪽.

을 남발하고 오로지 표를 얻기 위한 포퓰리즘에 호소한다. 국가 재정의 장래는 자기 책임이라고 생각하지 않는다. 국가가 부도가 나도 자기와 상관없는 일이라고 생각한다.

국민들 역시 당장 눈앞의 이익에만 어두워 일단 이득을 얻고 보자는 팔로어의 자세가 혼합되어 국민 정치 의식수준을 떨어뜨리고, 그 결과로 문제를 만들어 내고 있다. 또한 일부 국회의원들이 이해 관계자나 기업, 단체에서 금품 로비를 받고 그들의 이익을 위해 법을 고쳐 주었다는 사실이 밝혀지며 징역형을 선고 받는 실정으로 '정치권은 부패 불감증'에 걸려있다.

정치 리더들은 확고한 국가관과 투철한 역사의식을 바탕으로 국가의 비전을 제시하고, 이를 달성하기 위한 정책을 입안하여 국민에게 희망을 주는 정치를 펼쳐야 한다. 그러기 위해서 정치지도자는 국제정세의 흐름과 상황, 그리고 국가가 당면한 대내외 여건을 고려하여 문제와 갈등을 해결해 가는데 앞장 서야 한다.

그러나 한국의 정치인들은 국가의 안위나 이익을 우선시하기보다 개인 이익이나 소속 정당의 입장에서 대안을 내놓기 때문에, 국가 발전을 위한 원대한 비전을 제시하지 못하고 있다. 권력만 탐하는 철새 정치인, 거짓과 말 바꾸기의 천재 정치인들이 판치는 한국 정치의 현실이 참으로 부끄럽다. 정치 지도자들이 공공성, 책임감, 윤리성과 전문성이 부족하여, 사회 변화에 따른 필요한 입법 활동이 제때 이루어지지 않고 있다.

우드로 윌슨 센터의 '워싱턴의 현자' 리 해밀턴(Lee H. Hamilton) 소장은 "진보든 보수든 정치인이 취해야 할 기본 태도는 국가 발전에 어떠한 기여를 할 수 있는지 되새겨 보는 것"이라고 강조했다. 우리나라 정치인들이 귀담아 들을 말이다.

② 기업 리더십

기업은 사업 영역이 한정되어 있고 사업 목표를 달성하기 위한 자본, 기술, 인력 등을 잘 갖추고 있다. 따라서 기업은 정치 조직에 비해 목표 달성에 성공할 가능성이 높다.

산업화, 민주화 시대에 기업을 경영한 사람들은 선진국을 따라가면 됐고, 따라 잡으면 되었다. 하지만 지금은 선진국 기업들과의 경쟁에서 살아남아야 한다. 창의적으로 새로운 비즈니스를 개척하고 앞으로 나아가야 하는데 도전정신과 의지, 투자, 노력이 미흡한 실정이라 쉬운 일이 아니다.

조선, 해운업, 철강 산업이 위기를 맞고 있고, 다음은 어느 업종이 추락할지 앞이 보이지 않는 상황이다. 조선소 앞 둑은 파도를 맞아 무너져 내리는데 부실을 키운 경영자는 거액의 퇴직금을 챙기고, 노조는 일감 끊긴 작업장에서 임금과 상여금 인상을 주장하는 목청을 높이고 있다. 각자도생(各者圖生)에 바쁜 모습들이다. 회사와 종업원을 살리기 위한 리더십 발휘는 물론 자구 노력 역시 찾아보기 어렵다.

기업은 글로벌 환경을 이해하고 적응해야 생존과 지속성이 보장될 수 있다. 기업은 이윤 추구와 실적에 의해 평가받는다. 지금은 이윤 추구와 동시에 윤리, 도덕 그리고 사회 공헌을 강조하고 있고, 그러한 기업이 지속 성장이 가능한 시대가 되었으나, 기업의 현실은 그렇지 못하다. 최근 기업 경영의 리더십에서는 나눔과 공유에 대한 관심이 많다.

페이스북 창업자인 저커버그(Zuckerberg) 부부가 페이스북의 지분

99%인 52조 원을 사회에 기부[7]하였다. 페이스북의 주식 가치는 450억 달러(약 52조 2200억 원)에 달한다. 32세인 그는 딸에게 보내는 공개편지를 통해 "우리가 사는 오늘의 세상보다 더 나은 세상에서 네가 자라나기를 바란다"고 기부 이유를 밝혔다. 딸에게 유산 대신 '더 나은 세상'을 물려주겠다는 저커버그의 공익과 나눔을 중시하는 기업가 정신에서 부자의 품격을 느낀다. 아울러 저커버그는 '내가 번 돈은 내 돈이 아니다'라고 말하였다.

뛰어난 경영자 한 사람이 쓰러져가는 회사를 살리는가 하면 무능한 경영자는 일류 회사도 망하게 한다. 기업의 리더들은 이 사실을 명심하며 나아갈 길을 모색해야 한다.

③ 공직 리더십

건국 이후 고도성장 시대에는 공무원들이 국민을 위해 행정 서비스를 제공하고 경제 성장을 주도했다. 그때 공직자들의 사명감, 충성심과 책임감이 중요한 동력이 되었다. 그러나 해마다 정부 규모는 커지고, 공무원 숫자는 이미 100만 명이 넘었다. 이렇게 조직은 거대화됐으나 2014년의 세월호 참사, 2015년의 메르스 사태, 2016년의 살인 가습기 비극에서 보듯 각 부처는 사고가 터지면 서로 내 소관이 아니라고 발뺌한다. 조직과 권한을 키울 때는 제 소관이라고 우기다가도 재난(災難)이 터지면 다른 부처에 미루는 것이다.[8]

---

7 2015년 12월 1일 첫 딸의 출산 소식을 알리면서 기부한 것.

8 『조선일보』, 2016. 5. 16.

공무원이 바로 서야 국가가 바로 선다. 부정, 부패, 부조리, 비리 근절 없이는 성공적인 공직자가 될 수 없다.

재난이 발생해 애꿎은 국민이 생명을 잃으면 정부 책임론이 등장한다. 하지만 문제의 핵심은 공무원들의 무능과 무책임, 무사안일한 업무 처리 탓인 경우가 많다. 근본 문제가 공무원 조직에 있다는 것을 알고 대처할 때가 온 것이다. 나라를 뒤흔드는 재난을 겪어도 공무원들은 대부분 아무 책임을 지지 않는다. 대형 사고가 발생해도 솜방망이 징계 처리로 끝나지 근본적인 문제는 해결되지 않고 있다. 본분을 게을리 한 공무원은 지위 고하를 막론하고 형사처분을 포함한 책임을 철저히 물어야 한다.

정치권은 공무원들에게 명확한 책임과 의무를 부여할 법적 장치를 마련해야 한다. 그렇지 않으면 어느 당(黨)이 정권을 잡아도 공무원들의 무능과 무책임한 행태에 국민은 피해자가 될 수밖에 없다.

대통령 임기주기로 바뀌는 정권이 정책을 뒤집으면 공무원이 사명감, 책임감을 가지고 일하겠는가. 정치 세력은 전문 관료의 의견을 존중하고, 정권이 바뀌더라도 정책의 연속성과 일관성이 유지되도록 해야 한다.

봉사를 아는 고위 공직자를 보고 싶다. 근래 국회에서 고위 공직자의 자격을 따지는 청문회에서 병역 기피, 위장 전입, 부동산 투기, 논문 표절, 직위를 이용한 축재 의혹을 두고 지탄이 이어졌다. 사회 공헌이나 헌신은 최고 공복(公僕)인 고위 공직자들이 반드시 품어야 할 덕목이다.

④ 군 리더십

군의 존재 목적은 전쟁에서 승리하는 데 있다. 전쟁이란 근본적으로 예측이 불가능하고, 전투 수행은 항상 혼미하고 마찰과 불확실성으로 가득하지만, 승리를 대신하는 것은 존재하지 않는다. 전쟁을 각오하지 않고는 결코 평화를 지킬 수 없다. 군대는 임무가 단순하고 임무 수행을 위한 조직이 잘 구비되어 있다. 최고 사령관으로부터 말단 병사에 이르기까지 분명하게 맡은 임무가 있고 임무 수행을 위한 장비와 물자도 완비되어 있으며 훈련 역시 잘 되어있다.

군대 리더십은 단순하고 불확실성이 높다. 따라서 솔선수범과 사명감이 높아야 한다. 군대 리더십은 목표를 설정하고 우선순위를 정해 군사전략을 수립하고 실천하면 된다. 그만큼 군대 리더십은 우수하다고 할 수 있다.

일찍이 클라우제비츠(Karl von Clausewitz)는 "고급 제대 지휘관과 참모는 적극적이기보다 윤리적이고, 일면적이기보다 다면적이며, 열렬하기보다 합리적인 두뇌의 소유자가 돼야 한다"고 강조했다. 군의 본격적인 리더라고 할 수 있는 연대장급 이상은 국가 리더의 일원이라는 인식을 가져야하고, 전역 후에도 국가와 사회에 기여하는 자세로 살아야 한다. 군이 현재의 한반도 주변 안보 상황에 대한 위기의식이 부족하고, 확고한 국가관과 투철한 역사의식으로 우리나라를 반드시 지켜야한다는 절박감 또한 부족하다.

군 형법 및 군인 복무규율을 지키지 않을 때 불이익을 받는다는 사례 위주의 교육이 미흡하여 각종 사건 사고가 발생했고, 군 기강이 무너지는 모습에서 군에 대한 우려의 목소리가 높아지고 있다. 군이 유사시에

확실하게 국가와 국민을 지켜줄 것이라는 믿음과 신뢰가 있어야 하는데 현실은 그렇지 못한 것 같다.

필자는 초급 장교 시절, 유엔사 의장대에 한국군 파견 대장으로 근무하면서 미군 부대 운영의 밑바탕에 합리성과 실용성이 있음을 경험하고 배웠다. 지휘관이 퇴근하고 다음날 출근할 때까지 일어나는 모든 사항을 육하원칙에 의거하여 기록하고, 날마다 지휘관에게 보고하는 모습에서 근무의 철저함을 알 수 있었다. 그리고 야간 보초를 서는 병사들이 철저하게 임무를 완수하는 모습과 규정과 방침에 따라 부대를 지휘하는 모습에서 많은 것을 보고 배웠다.

필자가 사단장 때 방문한 작전 지역 내 미군 부대에서 들은 이야기가 아직도 기억에 남는다. 그 부대 지휘관은 부대의 목표가 전투 준비(readiness), 팀워크(team work), 삶의 질(quality of life)이라고 하였다. 그들은 항상 전투 준비가 최우선이었고, 이를 위해 팀워크를 강조하고 있었다. 또한 부대 장병들의 복지나 삶의 질 향상을 위해 많은 노력을 기울이고 있는 것을 확인할 수 있었다. 이러한 사실은 군 리더십 차원에서 미군이나 한국군이나 같다고 생각한다. 필자도 부대 지휘를 할 때는 항상 그러한 자세로 근무했다.

전쟁기념관 관장 시절 당시 연합사령관이던 셔먼 장군이 전쟁기념관을 방문했다. 본인 출신주인 오하이오주의 전사자 명비(銘碑) 앞에서 셔먼 장군은 필자에게 "본인의 최우선 임무는 대한민국을 지키는 것이다. 그래서 항상 북쪽을 주시하고 있다"고 강조했다.

군인은 항상 대치하고 있는 적과 싸울 태세를 갖추는 것이 모든 업무에 최우선이다. 이 시각, 이 장소에서 전투가 발발한다고 생각하고 항상 대비 태세를 확고히 갖추고 있어야 한다. 군인은 현재 입고 있는 군복이 바로 수의(壽衣)라 생각하고 항상 복장을 바로 한다는 정신 자세를 갖추어야 한다.

안보가 잘못되면 나라를 잃고, 경제가 잘못되면 일터를 잃으며, 교육이 부실하면 다른 나라의 통제나 지배를 받는다는 것이 역사의 교훈이다.

리더십의 현주소를 종합적으로 진단한 결과는 리더십이 매우 부족하여 실망스러운 정도였다. 리더십의 궁극적인 목적이 무엇인지가 뚜렷하지 못하고, 사회 변화 추세와 리더십 환경 변화에 대해 둔감하며, 리더 자체의 문제인 윤리성, 공공성, 책임감, 전문성과 리더십 능력 등도 결여되어 있다. 더욱이 리더 양성 교육 시스템의 정비가 미흡하여 제대로 작동하지 못하고 있다. 리더가 올바른 리더십을 정상적이고 효과적으로 발휘하기 위해서는 리더십에 대한 관심과 리더 양성을 위한 아낌없는 투자가 이루어져야 할 것이다.

2절 | 변화와 창조를 견인하는 리더십

(1) 변화와 혁신 없이 성공한 리더가 될 수 없다

변해야 살아 남는다

리더의 자리는 마냥 편하고 즐거운 자리가 아니다. 리더는 자신이 속해 있는 조직의 성장 발전을 이끌기 위해 끊임없이 외부 환경과 경쟁해야 하고, 조직 구성원들이 잡음이나 이탈 없이 목표로 나아가도록 계속 다독여야 한다. 리더십은 고통과 인내를 수반하지만 결과적으로 화합과 비전 달성을 가져오는 윈 윈(win-win) 전략이 된다. 이런 점에서 리더십은 오랜 경륜과 자기 투쟁 속에서 연마되는 기술(skill) 이상의 예술(art)이라 하겠다.

루이스 캐럴(Lewis Carrol)이 쓴 동화 『이상한 나라의 앨리스』의 속편 『거울 나라의 앨리스』에서 앨리스가 붉은 여왕의 손에 끌려 달리는 장면이 나온다. 한참을 달렸는데도 이들이 제자리에 있자 앨리스가 숨을 헐떡이며 질문한다. "왜 계속 이 나무 아래인 거죠? 제가 살던 곳에서는 이렇게 오랫동안 빠르게 달리면 다른 곳에 도착하는데 말이에요." 붉은 여왕은 "여기선 있는 힘껏 달려야 지금 그 자리에라도 있을 수 있어. 다른 곳에 가고 싶으면 아까보다 최소한 두 배는 더 빨리 달려야 해"라고 대꾸한다.

미국 진화 생물학자인 리 밴 베일런(Leigh van Valen)은 1973년 종 (種)의 진화와 멸종을 설명하며 이를 '붉은 여왕 가설'이라 불렀다. 한 종이 진화할 때 다른 종과 주변 환경 역시 진화하기 때문에 뒤처지지 않 으려면 끊임없이 발전해야 한다는 이론이다. 아무것도 하지 않으면 현 상태를 지키는 것은 고사하고 뒤로 밀려나 멸종하고 만다는 것이다. 생 물이 생존을 위해 필사적으로 경쟁하고 진화하듯 조직 역시 치열한 경 쟁에서 살아남기 위해서는 달려야만 한다.

시대의 변화를 읽고 흐름을 관리하는 사람이 리더다. 예나 지금이나 미래를 읽어내는 지혜는 리더가 갖추어야 할 중요한 자질이다. 미래를 제대로 읽는 능력이 조직의 성쇠를 결정한다. 흐름에 맞춰 변해야 살아 남는다.

세상에 바뀌지 않는 것은 단 하나뿐이다. 그것은 모두 변한다는 사실 이다.
- 헤라 클레이토스

살아남는 것은 가장 강한 것도 아니고 가장 똑똑한 것도 아니다. 변화에 가장 잘 적응하는 것이 살아남는다.
- 찰스 다윈

인간은 살면서 행운만으로도 부족하고, 능력만으로도 부족하다. 생 각하는 것만큼 세상은 변한다.
- 피터 드러커

자기 자신을 끊임없이 변화시킬 줄 알아야 한다.
- 시오노 나나미

리더는 모든 일을 혼자 해결하는 존재가 아니다. 조직 밖의 상황 변화를 파악하고, 흐름을 읽고, 정보를 수집하고, 아이디어를 창출하는 데 조직원의 적극적인 협력이 필요하다. 현재와 같이 다양하고 복잡한 환경에서 리더의 독단은 조직을 잘못된 방향으로 이끌 수 있다. 항상 조직 구성원의 의견과 아이디어에 귀를 기울이고 수용하는 자세가 필요하다. 정보와 아이디어가 많을수록 리더는 현명한 판단을 내릴 수 있다.

준비하는 자에게 변화는 기회다

변화의 속도는 점점 더 빨라지고 있다. 세상의 변화에 능동적으로 대처하지 못한 사람은 더 이상 리더가 될 수 없다. 전쟁에서 성공을 거두려면 우리는 정치, 경제, 사회, 군사를 아우르는 스펙트럼처럼 전반에 걸쳐 싸울 수 있는 준비가 되어 있어야 한다. 전쟁 수행 방법은 끊임없이 진화 과정을 거치면서 발전하여 왔다. 수행해야 할 전쟁의 본질은 국가에 위협이 되는 것이 무엇이냐를 제대로 이해하는 문제요, 이런 문제들을 바로잡기 위해 어떻게 해야 할 것인가를 알고 행동에 옮겨야 한다.

공감, 비전, 신념, 실천은 변화를 대하는 핵심 요소다. 공감이 없으면 방관하기 쉽고, 비전이 없으면 혼란을 가져오고, 신념이 없으면 회의에 빠지게 되고, 실천이 없으면 좌절을 겪게 된다. 모두 갖추었을 때 성공적인 변화가 가능해진다.

리더는 왕성한 지적 호기심과 창의적 사고를 바탕으로 시대가 요구하는 인재로 거듭나야 한다. 내가 나를 관리하지 못하면 남이 나를 관리한다. 그것이 세상의 법칙이다. 내가 나를 바꾸면 인생이 달라진다. 끌려다니는 인생에서 끌고 가는 인생이 된다.

세계 최고 부자인 빌 게이츠(Bill Gates)는 한 인터뷰에서 이렇게 말했다. "나는 힘이 센 강자도 아니고, 두뇌가 뛰어난 천재도 아닙니다. 다만 날마다 새롭게 변화했을 뿐입니다. 이것이 나의 성공 비결입니다." 이처럼 '변화'는 개인과 조직이 생존해 나가는 데 큰 힘이 된다. 만물은 어느 것이든 바뀌고 만다. 살다 보면 세상은 원치 않을 때조차 수시로 바뀐다. 이 변화를 어떻게 대처하느냐에 따라 사람의 미래가 달라진다. 변화를 항상 기회로 여기는 사람이 있다. 시대를 볼 줄 아는 눈이 있는 사람들, 이들이 바로 리더다.

준비된 리더는 5년 후, 10년 후, 그 이상을 내다보면서 변화를 기대하고, 미래를 예측하며 산다. 변화에 대처할 준비가 되어 있는 것이다. 이들에게 변화는 성공의 기회와도 같다. 외부 환경에 대한 정보를 모으고, 변화의 필요성을 구축하고, 조직에 뚜렷한 전망과 나아갈 방향도 제시한다.

변화를 받아들이려면 일단 '나부터 변화'해야 한다. 나는 그대로인 채 조직 구성원들만 바꾸라고 한들 제대로 변할 리 없다. '너'부터 변화하는 게 아닌 '나'부터 변화를 시작하자. 그것이 전부(全部)와 전무(全無), 성공과 실패의 차이를 만들어낸다.

다음으로 변화의 방향을 하나로 모으는 것이 중요하다. 변화의 필요성을 알면서도 변화가 가져올지 모르는 불편이나 불이익에 저항하는 이기주의가 바로 '총론 찬성, 각론 반대'이다. 이런 일을 방지하기 위해서는 먼저 조직 구성원들에게 변화에 대한 올바른 방향을 제시하고 공감대를 확보하는 것이 우선이다.

마지막으로 한꺼번에 모든 변화를 이루려고 기대해서는 안 된다. 쉬운 일부터 차근차근 바꾸어야 한다. 아무리 실력 있는 산악인도 처음부터 에베레스트 등정을 시도하지 않는다. 인수봉을 비롯하여 비교적 덜 험난한 국내의 산악코스를 두루 거친 후에야 티베트로 향한다. 변화란 이처럼 쉬운 일, 간단한 일부터 차곡차곡 쌓아 올라가야 한다. '나부터, 한 방향으로, 쉬운 것부터' 변화하라.

변화와 혁신

조직의 '위기'는 다른 말로 '혁신'과 '기회'이기도 하다. 조직 문화에도 혁신이 필요하다. 혁신의 아이콘으로 불리는 애플의 창업자 스티브 잡스(Steve Jobs)는 생전에 "회사는 얼마나 좋은 인재를 보유하고 있는지, 그들을 어떻게 이끄는 지에 달렸다"고 했다. 그는 또 "혁신만이 시장에서 승리할 수 있는 유일한 방법"이라고 말하기도 했다.

리더란 변화를 주도해 가는 사람이다. 배움과 실천으로 조직의 변화를 주도하는 것이 바로 리더의 역할이다. 그제와 어제, 어제와 오늘이 같다면 그것은 리더의 바람직한 모습이 아니다. 사회의 변화 속도는 점점 더 빨라지고 있다. 세상의 변화에 능동적으로 대처하지 못한 사람은 리더 자리에서 내려올 수밖에 없다.

조직 또는 집단이 달라지는 환경에 적응하지 못하고 실패한다면 그 조직이나 집단은 역사의 뒤안길로 사라지는 것이 진리다. 그렇다면 어떠한 방식으로 생존을 위한 변화, 즉 혁신을 할 것인가. 먼저 혁신을 위해 모든 조직 구성원의 동참이 필요하다. 이때 중요한 것은 어떻게 혁신을 통하여 조직의 성과를 극대화할 것인가에 있다. 단순히 구호에만 그치지 않고 구체적인 방법론을 제시하고 조직의 프로세스를 과감하게 변화시켜

야 한다. 그런 다음 조직 구성원의 내재화와 자발적 동참을 이끌어내야
한다. 리더의 역량 차이가 여기서 드러난다.

사례 : 전쟁기념관의 변화와 혁신
-3대 비전 : 국민과 함께, 스토리가 있는, 가슴으로 느끼는 기념관

필자가 서울 용산, 삼각지에 위치한 전쟁기념관의 관장(2011.7~
2014.7) 겸 전쟁기념사업회 회장으로 재직하던 시절의 사례를 들어 조직
의 변화와 혁신을 위한 노력을 설명해 보겠다.

전쟁기념관장으로 부임한 뒤 직원들과 면담을 하고, 조직의 구석구석
을 살펴보며 조직 실태를 체계적으로 파악하려 했다. 조직의 분위기는 외
부 사회의 급속한 변화에 무감각했고, 여러 가지 어려운 여건임에도 직원
들에게선 그다지 위기의식이 느껴지지 않았다. 대부분의 직원들은 주인
의식이 부족했고, 현실에 안주하는 분위기였다. 뚜렷한 비전이 보이지 않
았고, 전쟁기념관 수익 사업(전쟁기념관은 수익 사업을 벌여 예산을 충당
하고, 모자란 부분에 대해서는 국고 예산의 지원을 받는 기타공공기관임)
은 적자 운영이었다.

필자는 전쟁기념관의 변화와 혁신 방향을 '행복한 직장 만들기'로 정했
다. 직원들에게 '회장의 첫 번째 고객은 직원이다. 직원이 행복해야 고객이
행복해진다'고 강조하면서 출근하고 싶은 직장, 즐겁고 재미있는 직장, 보
람과 가치를 창출하는 자랑스러운 직장을 만들자고 호소했다. 변화와 혁
신을 위해서 먼저 직원 능력 향상에 중점을 두었다. 지금은 인재 전쟁 시
대다. 우수한 인재가 그 조직의 경쟁력이다. 직원의 우수성이 조직의 성패

를 좌우한다는 것을 누구보다 잘 알기에 기존 직원들에게는 직원 역량 향상 교육을 받게 했고, 신규 직원을 채용할 때는 우수 인재를 선발하는 데 집중했다. 예산을 투자하여 외부 교육 전문 기관에 직원들이 위탁 교육을 받을 수 있게 했고, 자체 교육 프로그램인 호국문화대학 과정에 명사들을 초청하여 직원들이 수강하도록 했다. 전 직원을 대상으로 선진국의 박물관이나 기념관을 견학하여 국제적인 감각과 안목을 높일 기회를 제공했고, 충북 음성의 꽃동네에 전 직원 봉사 활동을 가며 인성 교육을 시켰다. 모든 직원에게 해마다 1회씩 친절 교육도 시행하였다. 여러 가지 교육을 통해 직원들의 업무 전문성이 향상되었고 리더십 능력과 주인 의식 수준 또한 상승하는 계기가 되었다. 자연스럽게 업무에 대한 자신감과 책임감, 조직에 대한 자긍심이 생겼다.

다음 단계로 조직의 비전을 설정하고 시행하는 것을 택했다. 21세기가 되면서 국민의 문화 욕구 수준이 증가했고 이는 자연스럽게 관람 문화의 변화를 가져왔다. 필자는 비전의 이해 및 공유를 위해 많은 노력을 기울였다. 비전 결정 과정이나 주요 사안에 대한 의사 결정 과정에 직원들이 참여했고, 의견을 토론하여 수렴하고 공감대를 형성하여 함께 의사를 결정했다. 직원들은 자발적으로 비전의 시행에 참여했다.

우리는 힘을 합쳐 '국민과 함께하는(With People)' 기념관을 만들었다. 도심 속의 대표적인 복합 문화 공간으로 변신하기 위해 울타리 담장을 허물어 앞마당을 개방하고 공원화했다. 정례 토요 문화 행사와 무료 음악회를 열었고, 어린이부터 어른까지 함께할 수 있는 볼거리 및 체험 시설인 3D, 4D 체험장을 만드는 등 각종 이벤트 행사를 계획하고 시행하였다.

홈페이지를 대폭 보강하여 각종 행사 소식을 알렸고, 지하철과 야외 광고 전시판 등을 적극적으로 사용하며 홍보했다. 국내외 관람객들을 위한 해설 활동 또한 대대적으로 보강하였다. 정년퇴임한 예비역 장교들과 교장 선생님들을 전문 해설사로 확대 채용하고, 일반 자원봉사자들을 늘려 도움을 받았다. 서울시 문화원과 협조하여 어학 자원(영어, 일어, 중국어)을 보강했다. 도슨트(Docent; 박물관이나 미술관 등에서 관람객들에게 전시물을 설명하는 안내인) 등을 활용함으로써 스토리와 재미, 의미가 있는 해설을 함과 동시에 첨단 스마트 시스템인 QR코드 및 NFC를 도입하여 8개국의 언어를 지원하였다.

그 다음으로 '스토리가 있는(With Story)' 기념관을 만들었다. 소장하고 있는 유물과 전시물의 역사적 가치를 발굴하고, 흥미를 유발할 수 있는 스토리를 더했다. 옥외 전시물인 B-52폭격기, 참수리함정, 이웅평 대위가 타고 온 MIG-19 귀순기, 해군 헬기의 KILL MARKER 표시 등과 옥내 전시물인 6·25전쟁 이야기, 학도병 이야기, UN군 참전 이야기, 프랑스 몽클라르 예비역 육군 중장의 참전 이야기, 룩셈부르크의 잣골 전투 이야기 등에 각각의 스토리를 입혔다.

마지막 비전은 '가슴으로 느끼는(With Heart)' 전쟁기념관을 만드는 것이었다. 전쟁기념관에 올 때는 무심코 왔으나 갈 때는 뭔가 가슴이 찡하고 뭉클한 느낌과 감동을 받고 갈 수 있도록 노력했다. 관람객들의 요구를 적극 반영하고, 새로운 볼거리를 계속 만들어 대중에게 잊히지 않고 사랑받는 기념관을 만들고자 했다. 이를 위해 '호국 추모실'을 경건하게 단장하고, '참수리호'에 얽힌 이야기로 감동을 주고, UN 전시실의 인식표와 '눈물방울' 전시실을 보고 나오면 숙연함을 느끼는 등 다양한 울림을 주고자 했다.

인재를 교육하고 비전을 실행하며 조직의 변화를 주도하다 보니 직원들의 부정적인 의식 구조 개선이 필요해 보였다. 불편한 점이 있거나 개선할 방향이 보여도 으레 안 되겠지 하며 포기하는 일이 많았다.

전쟁기념관 입구에 현금지급기를 설치하려고 관계자에게 말하니 운용 실적이 저조할 것으로 예상되는 데 설치비를 들일 수 없다고 주거래 은행에게 통보받아 설치가 어렵다고 했다. 그래서 전체회의 시간에 삼각지에 위치한 은행 중 현금지급기 설치가 가능한 은행을 찾아 주거래 은행을 교체하라고 말하니 바로 주거래 은행이 찾아와 기계를 설치해 주었다.

전쟁기념관을 보러 오는 관람객의 차량에 전쟁기념관에서 운영하는 결혼식장의 하객들 차량까지 합치면 천 대 이상의 차량이 주말에 출입했다. 주출입구가 혼잡해 불편이 많았고 안전 문제 또한 우려되었는데 서울시와 서울시 경찰청에 협조를 부탁하여 새롭게 '서문'을 개통함으로써 교통체증 현상을 해소할 수 있었다.

교육 프로그램을 늘리고 체험 시설을 확대하면서 인력 증원이 필요했지만 오히려 조직의 정원은 감소하여 운영에 심각한 문제가 있었다. 하지만 직원들은 정원 증원이 불가할 것이라 생각하며 아무런 대책을 강구하지 않고 있었다. 필자는 한국 생산성 본부에 연구 용역을 의뢰했고, 그 결과를 토대로 7명을 증원할 수 있었다.

이런 사례들은 해보지도 않고 안 될 거라 부정적으로 생각하던 직원들의 사고방식을 긍정적으로 전환해 주었다. '불가능을 가능하게', '하면 된다', '할 수 있다'는 사고방식이 자리 잡자 직원들은 회장인 필자를 신뢰하고 따랐으며 조직은 확실하게 발전하였다. 그 결과를 살펴보자.

부임 전인 2010년에는 관람객이 135만 명이었는데 2013년에는 210만 명으로 대폭 증가했다. 세계 여행 정보 사이트인 트립어드바이저 (TripAdvisor)[9]에서 외국인들을 대상으로 대한민국에서 가장 가고 싶은 곳이 어딘지 설문했는데 전쟁기념관이 2013년에는 3위, 2014년에는 2위, 2015년에는 1위로 뽑혔다. 국제적으로 인정받는 명소로 자리매김하자 전쟁기념관의 대외 브랜드 가치가 크게 높아졌다. 수익 사업도 적자 경영에서 흑자로 전환되었다. 직원 간 상호 불신 풍토가 사라졌고, 공정하고 투명한 업무 처리로 신뢰가 조성되었다. 회장은 투명하게 조직을 운영하고, 사심 없이 부하를 위하는 존재로 인식되었다. 직원이 주인이 되어 자발적으로 할 일을 찾자 자신감이 고취되고 사고방식이 긍정적으로 바뀌었다. 의욕적인 풍토가 조성되었다. 주변 사람들이 평가하기를 '전쟁기념관 직원들의 발걸음이 빨라졌다'고 하였고, 어떤 사람은 '전쟁기념관이 매일 달라지고 있다'고 평가했으며, 심지어 '전쟁기념관의 변화는 천지개벽 수준'이라고 칭찬하는 사람도 있었다.

이러한 것들은 모두 직원들이 주인이 되는 리더십의 결과였다. 전쟁기념관의 변화와 혁신은 직원들의 적극적이고 자발적인 참여가 이루어낸 눈부신 성과다. 지금도 당시 직원들의 노고에 진심으로 감사의 마음을 전한다.

---

9 세계 최대 규모의 여행 사이트로 최저가 항공편이나 숙박시설, 식당, 관광명소 등의 정보를 제공해 여행의 편의를 돕는 사이트다. 매년 5월 트래블러스 초이스 어워드 (Traveller's Choice Award) 선정 발표.

혁신의 두 가지 접근 방법

진정한 혁신은 작은 아이디어, 작은 변화로부터 온다. 변화와 혁신, 모든 조직의 영원한 화두다. 하지만 변화와 혁신을 부르짖기 전에 다시 한 번 생각해 보자. 도대체 왜, 무엇을, 어떻게 변화하고 혁신하자는 것인가?

사고 전환의 계기인 혁신은 어디에서 올까? 혁신의 출발점은 항상 바라보던 시각을 달리하고, 생각의 틀을 깨는 것이며, 한층 더 깊이 생각하는 것이다. 고정관념에서 탈피하지 못한다면 변화를 기대할 수 없다. 진정한 혁신은 작은 아이디어, 작은 변화에서부터 온다.

혁신에는 두 가지 접근 방법이 있다. 하나는 존속적 혁신이요, 다른 하나는 파괴적 혁신이다. 존속적 혁신이란 애플이나 삼성전자처럼 상품과 서비스 등을 진화시키거나 창조적으로 모방하는 것을 말한다. 파괴적 혁신은 지금까지 존재하지 않던 새로운 상품이나 서비스를 창조해 시장 선도자가 되는 것을 말한다. 토머스 에디슨(Thomas Alva Edison)의 전구, 카를 프리드리히 벤츠(Karl Friedrich Benz)의 자동차, 소니의 워크맨, 빙그레의 바나나맛 우유, 위니아 만도의 김치 냉장고 같은 제품을 들 수 있다.

파괴적 혁신의 사례를 들어본다. "말과 마부 없이 달리는 마차를 만들겠다." 1878년, 카를 벤츠가 던진 말이다. 실제로 그는 1886년 휘발유로 움직이는 세계 최초의 자동차를 개발했다. 1894년에는 자동차 대량 생산에 성공했다. 16년 동안 겪은 숱한 실패에도 포기하지 않고 성공할 때까지 시도한 덕분이다. 이후 벤츠는 세계 최고의 자동차 회사로 성장한다.

20여 년 전 대우전자와 대우 일렉트로닉스에서 판매왕을 여러 차례

차지했던 백숙현 씨도 마찬가지다. 대부분의 영업인은 고객을 찾아가 영업 활동을 펼치는데 백씨는 전혀 다른 방법을 사용했다. 컴퓨터 경진대회, 전자레인지를 활용 한 요리 강습회, 미스 미스터의 밤, 대우전자 구미공장 견학회 등 다양한 이벤트를 열어 고객이 자신을 찾아오게 했다. 모든 사람과 다르게 생각하고 다르게 행동할 때 혁신이 시작된다.

우리를 바꾸는 것은 일상속의 작고 단순한 변화들이다. 세상이 하루 아침에 변하지는 않는다. 작은 변화가 쌓이고 쌓여서 큰 변화를 일으키는 것이다. 단순한 변화라고 얕잡아봐서는 안 된다. 한 번에 하나씩 바꿔나가면 어느새 엄청난 변화 속에 서게 된다.

- 빌 젠슨(Bill Jensen), 『인생재발견』에서

낙숫물에 섬돌의 구멍이 파이고, 한 걸음 한 걸음이 마침내 천리 길을 간다. 땅에 떨어진 작은 씨앗 하나가 많은 열매를 거두고, 손바닥만 한 작은 구름 한 점이 큰 비를 몰고 오기도 한다. 명심하자. 한탕주의보다는 작은 일이라도 날마다 충실히 할 때 성공적인 리더가 될 수 있다. 변화와 혁신은 작은 아이디어에서 시작하지만 그것을 꾸준히 실천할 때 비로소 이루어진다. 두 가지 사례를 소개한다.

〈사례〉 혁신의 전도사 김흥식 장성군수

민선 자치 시대, 혁신의 전도사, 전남 장성군수 민선 3선인 김흥식 군수 (3선 군수, 1995년-2006년 재직)를 소개한다. 그는 '자신의 일을 개선하는 것이 혁신'이라 했다. 김흥식 군수는 변화와 혁신을 위해서는 첫째

도 교육, 둘째도 교육이라며 교육의 중요성을 강조했다. 나이가 내년에 70인데도 여느 젊은이, 전문가보다 혁신적인 마인드를 가졌다. 그는 "나이는 숫자에 불과합니다. 항상 공부하고 생각하고 듣고 보면 전문가가 되는 것입니다"라고 했다.

김흥식 군수는 '세상은 사람이 바꾸고 사람은 교육이 바꾼다'를 모토 삼아 군청에 장성 아카데미를 개설했다. 오후 5시부터 저녁 7시까지 이루어지는 교육을 통해 공무원과 주민의 의식을 개선하려는 시도였다. 장성군 인건비의 4%를 교육비로 투자했고, 장성군수로 근무한 12년 동안 500여 명이 넘는 사회 저명인사를 강사로 초빙했다. 각계 전문가의 생생한 혁신 마인드를 배우면서 공무원과 주민들이 조금씩 변하기 시작했다. 김흥식 군수의 삶의 철학은 '주어진 여건에서 매사에 최선을 다하자'는 것이다. 원칙을 중시하고 편법을 쓰지 않는다. 보편적이고 사회 규범에서 벗어나지 않아 모두가 인정하는 것이 바로 그의 원칙이자 기준이다.

"리더는, 지도자는 강력한 카리스마가 있어야 합니다. 강력한 카리스마는 끊임없이 공부하고 노력해서 얻어지는 자신감과 소신, 통찰, 경륜에서 나옵니다."

'주식회사 장성군'의 CEO 김흥식 군수는 1995년부터 전국 최초로 공무원 팀제와 다면 평가제, 홈페이지 개설, 전자 결제 시스템을 도입했다. 이러한 내용은 당시 전국에 모범 사례로 소개되었고 많은 기관에서 벤치마킹했다.

〈사례〉 화장실 남녀 공간 비중을 5대5에서 3대7로

필자가 전쟁기념관장으로 재직 중일 때의 이야기다. 서울 용산 삼각지에 위치한 전쟁기념관 전시장에는 1, 2, 3층 중앙통로 좌우측에 각각 하나씩 총 6개의 화장실이 있다.

혁신은 사소한 것, 작은 것으로부터 시작된다. 고속도로 휴게소나 사람들이 많이 모이는 공공시설에서 보아오던 것 중에 개선되었으면 좋겠다고 생각했던 사항이 바로 화장실에서 길게 줄 서서 기다리는 여성들의 모습이었다. 어떻게 하면 여성들이 줄 서서 기다리는 시간을 줄일 수 있을까 생각하곤 했다. 전쟁기념관 여자 화장실도 관람객이 많이 몰리는 날이나 주말이면 어김없이 긴 줄이 이어졌다.

여자 화장실이 남자 화장실보다 대기하는 줄이 긴 이유는 남녀 화장실 면적을 똑같이 배분했기 때문이다. 여자 화장실의 실제 화장실 칸 수는 남자 화장실보다 적다. 여성용 좌식 변기의 면적이 필연적으로 남성용 입식 변기보다 더 많은 공간을 차지하기 때문이다. 또 다른 이유도 있다. 과학자들의 연구에 따르면, 여성은 남성에 비해 화장실에서 1.5~2배의 시간을 더 사용한다.

이런 사실을 깨닫고 화장실 보수 공사를 할 때 남녀 화장실 공간을 5대5에서 3대7로 조정, 시설을 개선했더니 여성 화장실의 혼잡함이 해소되었다.

이렇게 사소한 것일지라도 개선점을 찾아 노력하는 것이 바로 혁신의 시작이 아닐까 생각한다. 이러한 일은 경영자가 조금만 착안하면 얼마든지 해결이 가능하다.

변화 관리

리더는 앞선 자세로 변화를 관리하고, 이끌어야 한다. 영국의 철학자인 알프레드 노스 화이트헤드(Alfred North Whiteheed)는 "발전하려면 변화하면서 질서를 지키고, 질서를 지키면서 변화를 이끌어야 한다"고 하였다.

세상에서 절대 변하지 않는 사실이 있는데, 그것은 바로 세상이 끊임없이 변한다는 점이다. 사람도 시장도 환경도 항상 유동적이다. 변화 관리도 리더의 중요한 자질이다.

변화를 관리하는 리더의 방법에는 열린 커뮤니케이션, 반대의 입장이 되어 생각해 보기, 신뢰감 형성, 긍정적인 자세, 직원의 의견에 귀 기울이기, 그들에게 창조적으로 권한을 위임하기 등이 있다. 변화는 어떻게 관리되어야 하는가. 변화 관리 3단계[10]에 대해서 알아보자.

1단계는 변화를 이해하는 것이다. 변화가 왜 필요한가? 그 이유를 제대로 헤아리지 못해 변화의 필요성과 변화를 받아들이는 자세를 제대로 설명하지 못하는 리더는 리더십이 형편없는 사람으로 낙인찍힌다. 변화를 받아들이지 못하고 제대로 이끌지 못하는 사람들은 모든 변화에 대해 부정적인 자세를 가질 가능성이 크다. 그 이유를 보면, 변화는 발전을 더욱 가속화하기 때문이다. 무엇이 변화를 일으키는가. 과학 기술이 급속도로 발전하면서 한층 경쟁이 치열해지고 있다. 이러한 경쟁에서 살아남도록 외부에서 자극을 주는 것으로부터 변화는 시작된다. 변화는 역동적이다. 조직 내부에서는 위에서 아래로 이루어지며, 지위고하

---

10 밥 애덤스지음/임태조 옮김, 『팀장 리더십』, (위즈덤하우스, 2005). 192~207쪽.

를 막론하고 모두에게 영향을 미친다.

2단계는 변화를 인식하는 것이다. 불확실하고 의심스러운 분위기가 조성되면 직원들은 두려움과 스트레스에 시달리며, 사기는 땅에 떨어진다. 그러므로 리더가 할 수 있는 최고의 결정은 직원들에게 변화와 관련한 상세한 정보를 제공하는 것이다. 무엇보다 직원들 자신이 변화를 직접 주도하고 있다는 마음이 들도록 이끌어야 한다. 사람은 누구나 자신의 능력을 발휘하는 데 도움이 되는 아이디어 및 변화에 열정적으로 대응한다. 직원들은 자신에게 동의를 구하거나 요청도 하지 않은 채 무조건 변화만을 강요하는 리더에게 분개하며, 저항하는 방법의 하나로 변화에 전혀 신경을 쓰지 않는다. 이 단계에서는 변화에 대한 저항에 대처해야 한다. 변화에 대한 두려움과 분노, 변화에 대한 불확실성, 변화의 필요성을 인식하지 못하는 자세, 모든 변화는 부정적이라는 생각, 변화를 과소평가하는 태도, 변화를 관망하는 자세, 변화의 결과로 생겨날 수 있는 긍정적인 기회를 인식하지 못하는 태도 등으로 리더와 직원들 사이에 벽이 생길 수 있다. 벽이 생기면 변화가 더디거나 아예 이루어지지 않을 수도 있다. 직원들의 감정을 섬세하게 살피고 다독이며 변화를 긍정적으로 받아들이도록 도와야 한다. 그래도 부정적인 태도를 보이는 직원이 있다면 그렇게 하지 못하게 방법을 강구해야 한다.

3단계는 변화를 수용하는 것이다. 변화를 받아들이도록 이끄는 방법은 다양하다. 변화를 바라보는 자세, 변화에 동기를 부여하는 행위, 변화에 필요한 행동 등은 부하 직원들을 변화시키는 데 상당히 중요하다.

직원들은 리더가 자신들이 모르는 것을 알려주고, 자신들을 존중한다고 느낄 때, 리더의 방식을 신뢰하며 따른다. 리더는 왜 변화가 일어나야 하는지를 직원들에게 상세하게 설명하고, 변화를 위한 직원들의 노력에 아낌없이 지원해야 한다.

리더는 사람들이 스스로는 결코 가지 않을 곳을 향해 그들이 자진해서 걸어가도록 만드는 사람이다. 시키는 일만 해서는 절대로 성장하지 못한다. 남이 가지 않은 길, 힘든 길을 가야 한다. 미래는 예측하는 자의 것이며, 준비하는 자에게 순종한다. 미래는 꿈꾸는 자의 것이다. 따라서 변화 관리에 탁월한 리더는 미래를 알고 기다리며, 미래의 꿈을 조율하고, 미래를 다스릴 수 있다.

결국 성장하느냐 주저앉느냐는 외부 환경의 문제가 아니라 본인 스스로 어떻게 상황을 인식하느냐에 달려있다. 끓는 냄비 속에서 서서히 죽어가는 개구리로 전락할 것인가(Slow death), 배수의 진을 치고 혼신의 힘을 다하여 도전하는 리더(Deep change)가 될 것인가? 선택하라, 당신도 변화를 주도할 수 있다.

(2) 창의력이 경쟁력이다

인류의 역사는 창조의 역사다. 사회는 창조의 힘에 의해 발전한다. 세계는 지금 아이디어의 전쟁터다. 어느 사회 어느 분야에서나 독창적인 아이디어가 자산이자 경쟁력이다. 기업도 끊임없는 아이디어의 개발 없이는 살아남을 수 없다. 이 시대가 가장 요구하는 인물은 창의력 있는 인재다. 사회도 창의력 있는 사람을 학력이나 지위에 관계없이 가장 우대하고 존경하고 감사하는 풍토가 되어야 한다.

창의력이란?

글로벌 시대가 요구하는 인재상은 일에 대한 전문성과 일을 주도하는 실력인 창조성 그리고 인성을 갖춘 사람이다. 과거에는 문제 해결 능력이 중시되었으나 현재는 문제를 찾아내는 능력에 초점을 맞추고 있다. 창조에 대한 인식의 변화가 만든 결과다.

리더는 변화를 읽고 대비하여 관리해야 하고, 아울러 창의성을 갖추어야 한다. 창조는 통찰에서, 통찰은 관찰에서 비롯된다. 창의성은 타고난 능력이지만 교육을 통해서도 양성할 수 있다. 창조란 무엇일까? 그것은 새롭고도 유용한 무언가를 만들어내는 것이다. 살아남으려면 창조를 해야 한다. 심리학자인 하워드 가드너(Howard Gardner)는 이렇게 말했다. "창조적인 인물들은 어린아이의 감성을 그대로 유지한다."

루트번스타인(Root-Bernstein) 부부의 공저인 『생각의 탄생』에서 창조를 위한 생각의 도구로 관찰(Observing)과 패턴 형성(Forming Patterns)을 강조했다. 관찰은 창조의 바탕이고, 관찰은 생각의 한 형태라고 하였으며, 세상의 모든 지식은 관찰을 통해 습득된다고 하였다. 보고, 듣고, 만지고, 냄새 맡고, 맛을 보고, 몸으로 느끼는 모든 것이 관찰의 대상이다. 창조적 사고에서 관찰의 비중은 절대적이다. 패턴 형성은 기존의 패턴을 깨는 것으로, 창조의 시작이다. 창조란 기존의 패턴을 파괴하고 새로운 패턴을 만드는 것이다.

창의력에 관한 예를 들어본다. 초등학교 교사가 학생들에게 질문했다. "얼음이 녹으면 무엇이 되느냐"고, 대부분의 학생들은 "물"이라고 대답했다. 그러나 단 한 명의 학생만이 "얼음이 녹으면 봄이 옵니다"라고 답했다. 이러한 발상의 전환, 엉뚱한 생각들이 바로 창의력이다. 창의성하면 거창한 무언가를 발명하는 것을 떠올린다. 구텐베르크의 인쇄술, 포드의 자동차, 라이트 형제의 비행기, 테슬라의 전기, 에디슨의 축음기, 벨의 전화기와 기술 개발로 인한 풍요로운 생활……. 하지만 창의성은 그런 하드웨어적인 발명에만 국한하지 않는다. 얽힌 인간관계를 멋지게 푸는 것, 새로운 방법으로 판매하는 것, 어려운 협상의 실마리를 찾는 것, 전쟁에서 이기기 위한 시나리오를 준비하는 것, 자신의 상품을 널리 알리는 일도 창의성의 영역이다.

우리 속담에 '구슬이 서 말이라도 꿰어야 보배다'는 말이 있다. 엄청나게 많은 지식과 정보를 습득해도 이를 활용하여 문제를 해결하거나 부가가치를 높이는 실효를 얻지 못한다면, 그 지식과 정보는 보배 역할을 못하는 구슬인 셈이다. 여기서 우리는 많이 아는 것과 이를 활용하는 것이 별개임을 알 수 있다. 즉, 구슬을 꿰매는 능력이 다름 아닌 창의 혹은 창의력인 것이다. 우리는 기존의 관행에서 벗어나 새로운 관점을 모색하고 적용하여 문제를 해결하는 창의력 배양에 전념하는 것이 새로운 시대를 살아가는 삶의 지혜임을 깨달아야 한다.

창의력 개발하기

전 세계 노벨상 수상자의 30%, 미국 내 최고 부자 40명 중 절반이 유대인이다. 이와 같은 유대인의 성공 비결은 바로 교육에 있다. 유대인 두

뇌 개발의 비밀은 상상력과 창의력 개발로, 유대인 교육의 핵심은 무엇이든 의문하고 질문하는 것이다.

창의력을 개발하기 위해 유대인이 가장 많이 이용하는 것이 바로 미술이다. 유대인의 유아 수업은 정해진 대상을 보고 그리는 것이 아니라 이야기를 들려주고 감상이나 기억에 남는 점을 그림으로 표현하도록 유도하는 것이다. 아이는 상상한 내용을 그림으로 표현하는 과정에서 자연스럽게 자신의 생각을 펼치게 된다.

미국 육군사관학교에서도 창의성을 기르기 위해 '목표는 주되 정답은 없는 교육 프로그램'을 사용한다. 학교가 학생들에게 모범 답안을 가르치는 게 아니라 스스로 판단하도록 하는 것이다. 전투 중에는 스스로 판단하고 결과에 대해 책임을 져야하기 때문이다. 군인은 혼란 속에서 다양한 부하들을 수용하며 조직을 이끄는 방법을 체득해야 한다. 그래야 전쟁터에서 살아남고 승리하는 군 리더가 될 수 있다.

창의적인 아이디어는 세상과 고립된 개인의 능력으로 만들어지는 것이 아니라 '사람과의 소통'으로 얻어진다.

- 고프리 웨스트 박사

창의적인 생각은 비슷한 분야 사람이 아닌, 전혀 다른 분야 사람들과의 지적 교류에서 만들어진다.

-하버드대 에드워드 교수

세계관, 경험, 지식의 범주, 관심사가 나와 전혀 다른 사람들과의 지적인 대화는 내 삶을 더 풍성하게 만들고, 나의 세계를 확장시켜 준다. 그러니 나와 다른 세계에 살고 있는 이들과 끊임없이 교류하며 오늘 내가 고민하는 질문에 대한 혁신적인 답을 얻어야 한다. 또한 창조성을 위해 가장 좋은 팀 구성은 신선한 시각을 가진 신입과 경험이 많은 오래된 동료의 결합이다. 주기적으로 팀원을 바꿔주는 것도 창의력을 얻는 좋은 방법이다.

〈사례〉 동아리 모임에서 찾은 TOD 전송 아이디어

필자의 군단장 시절, 서해안 해안 경계 임무를 수행하고 있던 ○○부대에서 북한의 반(半) 잠수정이 해상으로 침투 후 복귀하는 상황을 발견했다. 그 당시에는 TOD[11] 영상을 해안 경계 초소에서 대대상황실까지만 전송했다. 이에 군단에서는 TOD 영상을 해안 소초에서 대대, 연대, 사단, 군단 지휘 통제실까지 바로 전송해서, 영상내용이 필요한 제대에서 작전에 개입하여 상황을 즉시 조치할 수 있는 연동 시스템을 만들 필요성을 느꼈다. 이를 해결하기 위해 고민하다가 군단의 예하부대에 취지를 설명하고 전송 아이디어를 찾고자 했다. 그때 당시 대덕연구단지가 있는 사단의 통신대장(후에 통신사령관 역임)이 대전에서 전자통신 분야 동아리 모임 활동을 하다가 아이디어를 얻었다. 서로 상이한 직업과 직장에서 근무하는 사람들과 대화를 나누는 과정에서, 공개된 소프트웨어를 활용하여 우리에게 맞도록 개조해서 사용하면 되겠다고 판단한 것이다. 즉시 공개된

---

11 Thermal Observation Device로, 해상으로 침투하는 생물과 물체의 적외선을 감지하여 탐지하는 열상 감시 장비, 레이더를 말함.

소프트웨어를 개조해서 시스템을 만들었는데, 그 비용은 TOD가 있는 소초 당 3만 원에 불과했다. 덕분에 해안 소초에 배치된 TOD 영상이 지휘통제실까지 바로 전송되어 작전에 큰 도움이 되었다. 그 후 전군에 전파되어 활용되었다.

이는 '서로 다른 분야에 종사하는 사람들로부터 중요한 아이디어를 쉽게 얻을 수 있다'는 사례를 보여준 것이다. 생각지도 못한 엉뚱한 곳에서 아이디어를 얻을 수 있다. 평상시 업무를 수행하면서 '필요하다', '있으면 좋겠다'고 생각한 것이 있다면 해결하는 방법 또한 어디엔가 반드시 있다. 그것이 어디에 있는가를 찾으면 된다는 좋은 경험을 가르쳐준 사례였다.

창의력으로 경쟁한다

경쟁은 기피 대상이 아닌 성장의 핵심 동력이다. 남보다 뒤처지지 않으려면 뛰어야 한다. 경쟁은 조직을 더 강하게 만든다. 경쟁이 일어나면 기업들은 성과를 더 높이기 위해 노력한다. 경쟁에서 밀린 기업은 어떻게 할까? 만회할 방법을 찾고, 실패에서 교훈을 배운다. 삼성은 애플과 경쟁하면서 계속 발전하고 혁신을 만들어 냈다. 애플에 일어난 최고의 행운은 삼성이란 라이벌의 존재이고, 삼성에서 일어난 최고의 행운은 바로 경쟁사인 애플이다.

창의성을 키우고, 좀더 창의적이 되기 위해 필요한 것은 무엇일까?

첫째, 간절히 원하는 것이다. 모든 일이 제대로 풀리지 않고 그저 그렇게 흘러가는 가장 큰 이유는 간절히 원하지 않고 그만큼 고민하지 않기 때문이다. 아무 생각 없이 하루하루 사는데 길을 가다 멋진 아이디어가

섬광처럼 떠오르는 일은 절대 일어나지 않는다. 진정한 창의력이란 집중적인 관심과 노력을 통해 이루어진다.

둘째, 문제 해결을 위한 지식과 자원의 축적이다. 아무것도 모르는 초등학생은 특별한 경우를 제외하고는 미적분 문제를 풀기는 어렵다. 해결을 위해서는 최소한의 지식과 자원의 축적이 필요하다. 하지만 그런 축적은 하루아침에 이루어지지 않는다. 어린 시절부터 학습과 교육을 통해 토대를 만들고, 성장해서는 담당하고 있는 분야에서 내공을 끊임없이 쌓는 것이 무엇보다 중요하다.

셋째, 난관으로부터의 압박이다. 데드라인이 없는 목표는 목표가 아니다. 압박이 없는데 새로운 아이디어가 나올 수는 없다. 경쟁이 있고, 무언가 돌파구를 찾지 않으면 안 될 만큼 절박할 때 비로소 창조적인 아이디어가 나오게 된다. 성공하기 위해서는 자신을 늘 긴장 속에 두는 것이 필요하다. 필요는 발명의 어머니인 것이다.

창의성을 높이려면 어떻게 해야 할까? 그 답은 유대인의 경전인 탈무드에서 찾아볼 수 있다. 끊임없는 독서, 타인과의 대화, 그리고 여행이다. 20대의 청년들에게는 책을 많이 읽고, 부지런히 여행 다니고, 나이와 직업을 초월하여 다양한 사람들을 만나 대화를 나눠보는 게 의미가 있다. 아는 만큼 보이고, 아는 만큼 느낀다. 직·간접 경험을 쌓고 틈틈이 지식을 업그레이드하지 않으면 다이내믹한 사람이 될 수 없다. 21세기가 원하는 창의적 인재란 기존의 코드나 상식적인 틀에 안주하지 않고 늘 새로운 것을 꿈꾸며 도약하기 위해 부단히 노력하는 사람이다.

정주영 회장의 통찰력

"어떻게 그런 기발한 생각을 하셨어요?" 획기적인 아이디어로 성공한 경영자라면 수없이 듣는 질문이다. 발상의 전환을 가져온 생각의 원천, 즉 인사이트(insight)가 어디서 나왔는지 묻는 것이다. 인사이트의 사전적 의미는 '직접적으로 이루어지는 명료하고 즉각적인 이해'로, 우리말로는 '직관'이나 '통찰력'으로 번역된다. 다양한 관점으로 사물의 핵심을 꿰뚫어 보는 인사이트는 성공에 필요한 중요한 능력이다. 인사이트를 키우는 좋은 방법은 번뜩이는 아이디어로 성공한 경영자의 스토리에서 교훈을 얻는 것이다.

필자의 롤 모델 중 한 분이 현대그룹의 고(故) 정주영 회장이다. 정 회장은 선진국보다 열악한 여건에 처해 있던 우리에게 발상의 전환을 통하여 늘 '다르게 보고 생각하고 실행해야 함'을 몸소 가르쳐 주셨다. 정 회장의 발상과 관점의 전환 사례를 소개한다.

현대건설업체의 중동 진출과 관련된 정주영 회장의 일화가 있다. 1975년 여름, 박정희 대통령이 정 회장을 청와대로 급히 불렀다.

"달러를 벌어들일 좋은 기회가 왔는데, 일을 못하겠다는 자들이 있습니다."

"무슨 이야기입니까?"

정 회장의 물음에 대통령의 설명이 이어졌다.

"석유 파동으로 유가가 올라 지금 중동 국가들이 벌어들인 달러를 주체하지 못한답니다. 그 돈으로 사회 인프라를 건설하고 싶어 우리나라에 건설 사업 참여 의사를 타진해 왔습니다. 그런데 현장 조사차 보낸 공무원들이 돌아와서 한다는 이야기가 너무 더워서 낮에는 일할 수 없을뿐더러, 공사에 절대적으로 필요한 물이 없어 건설을 할 수 없다고 합니다. 안 된다는 이야기만 늘어놓아요. 정 회장도 안 된다고 하면, 나도 포기하지요."

급히 사우디로 갔던 정 회장은 5일 만에 다시 청와대에 들어가 보고했다.

"지성이면 감천이라더니 하늘이 우리나라를 돕는 것 같습니다. 중동은 이 세상에서 건설 공사를 하기 제일 좋은 지역입니다. 일 년 열두 달 비가 오지 않으니 일 년 내내 공사할 수 있습니다. 건설에 필요한 모래, 자갈이 현장에 바로 있으니 자재조달도 쉽고요."

"물은요?"

"그거야 어디서 실어오면 되고요."

"50도나 되는 더위는요?"

"정 더울 때는 천막을 쳐서 낮에는 자고 밤에 일하면 되지 않겠습니까?"

공무원들에겐 건설 불가능의 조건들이, 정 회장에겐 건설 최적의 조건으로 판단되었다. 그에겐 '숨겨진 기회'를 보는 눈이 있었던 것이다. 같은 상황을 두고 남들이 보지 못하는 기회를 발견하는 능력, 같은 문제를 두고 남들이 찾지 못한 해결책을 찾아내는 능력, 이것이 바로 인사이트다.

또 다른 일화를 소개한다. "조선 기술이 전혀 없는 나라에 차관을 제공할 수 없다"는 영국은행 담당자에게 500원짜리 지폐의 거북선을 보여주며 "우리는 영국보다 300년 앞선 1500년대에 이미 철갑선을 만들었소"라고 설득해 돈을 빌린 맨주먹 마케팅에 국민은 환호했다.

그의 수많은 일화엔 모두 다르게 생각하고, 다르게 실행하는 힘, 즉 인사이트 경영이 자리하고 있다. 가진 것도 없고 역량도 부족했던 시절에 청년 정주영이 몸소 보여준 발상의 전환은 인사이트 경영의 교과서였다. 필자가 어려움에 부닥칠 때마다 늘 남과 다르게 일에 접근하고, 기존 사고의 틀에서 벗어나고자 노력할 수 있도록 용기를 주었다.

좋은 인사이트를 갖기 위한 왕도(王道)는 없다. 하지만 인사이트의 대가들은 하나 같이 '관점'의 중요성을 강조한다. 다른 관점이 다른 생각을 만든다. 인사이트의 시작은 남과 다르게 보는 것이다. 이런 능력을 키우려면 먼저 상황에 맞는 관점을 사용해야 한다. 우리가 사진을 촬영할 때 멀리 있는 물체를 찍기 위해서는 망원렌즈를, 같은 거리를 더 넓게 담기 위해서는 광각렌즈를 사용하는 것처럼, 인사이트를 위해서는 각 상황에 맞는 관점이 필요하다.

창의력과 리더십

고정관념의 틀은 창의적 사고를 막는 가장 큰 장애 요소다. 이는 마치 햇빛을 좋아하는 꿀벌의 경험이 햇살이 스며드는 창문 방향에서만 출구를 찾다가 결국 반대편의 출구를 보지 못하고 벌들을 죽게 하는 것과 같다. 조직의 번영과 성장을 이끌어나갈 미래의 리더는 조직원들에게 꿈과 상상력을 키울 신념을 불어넣고 동기를 부여해야 한다. 이를 위해 통합적 사고와 소통 능력 그리고 실행력을 갖춰야 한다.

군에서 창의력은 부대의 전 요원이 전투 발전을 위해 지속적으로 새로운 변화를 추구하는 것을 말한다. 무엇보다도 창의력은 미래를 준비하는 군 리더의 정신적 특성이다. 리더는 항상 공격적 사고를 하되, 앞 날을 예측하고 분석해야 한다. 항상 긍정적 사고와 낙관적 사고를 가지 고 일이 잘 풀리는 방향만 생각해야 한다. 군대의 리더는 소극적으로 명 령이나 지시만을 하달해서는 안 된다. 명령과 지시의 명확한 의도를 파 악하고, 달성해야 할 구체적인 목표를 제시하는 등 능동적 태도를 갖추 어야 한다. 특히 전투 상황에서 지휘관의 명확한 의도를 부하들이 이해 하는 것은 매우 중요하다. 창의력을 지닌 리더는 자기 책임과 권한을 명 확하게 파악하고 있어야 하며, 일일이 상관의 명령이나 지시를 기다리지 않고, 적극적이고 진취적인 자세로 업무를 추진하여 경험을 쌓아야 한 다. 창의력이 있는 군대의 리더는 항시 상황을 파악하고 판단하여 최선 의 방책을 강구해야 할 의무와 책임이 있다.

판단력(judgement)은 창의의 다른 표현이다. "판단력은 경험에서 나 오고, 경험은 실수로부터 나온다"는 브래들리(Omar Nelson Bradley) 장군의 말처럼, 판단력은 평소의 관행대로 해서는 일이 잘 풀리지 않는 상황에서 창의력을 지닌 리더에게 요구되는 정신적 특성이자 지휘 기법 의 핵심이다. 판단력은 막연한 첩보와 정보를 보배로 꿰매는 능력이다. 좋은 판단력은 복잡한 상황을 조속하게 해결하는 능력이며, 다양한 대 안 중에서 중요성에 따라 우선순위를 정하고, 최선의 방책을 강구하는 기술이다. 다른 사람이 아무런 조치를 취하지 않을 때 먼저 나서서 상황 을 파악하고 결심하여 판단하는 것이 중요하다. 그리고 결과에 책임을 져야 한다는 모험을 감수해야 한다. 또한 실수로부터 배울 수 있다는 자 세로 일이 잘못되었을 경우의 대안까지도 염두에 두어야 한다. 최선의 문제 해결 방법은 책임을 전제로 진취성과 더불어 융통성이 최대한 발휘되는 것이다. 리더에게 창의력이 있다는 말은 미래 지향적이고 낙관적이며 융통성과 개방성을 겸비했다는 칭찬이다. '길은 하나가 아니다'라는 탄력적인 사고 속에서 현상의 다양성을 직시할 수 있는 풍부한 상상력과 통찰력이야말로 리더들의 나침반이 될 것이다.

(3) 지금은 융합과 협업의 시대다

21세기는 전 세계적으로 융합과 협업이 트렌드(trend)가 되었다. 융합을 가장 쉽고 분명하게 보여줄 수 있는 것이 바로 자동차 산업이다. 전기·전자에서 화학, IT, 신소재까지 다양한 분야가 만나는 첨단 융합 산업이다. 영화는 제작할 때 다양한 사람들과 협업을 한다. 촬영팀, 조명팀, 미술팀, 분장팀, 시각효과팀 등 다양한 직종의 사람들과 일을 해야만 한다. 설명과 매뉴얼 시대가 가고 융합적인 사회 문화가 새롭고 가치 있는 것들을 생산해 내는 협업의 시대가 펼쳐지고 있다.

융합의 정의

융합은 한마디로 정의하기가 어렵다. 융합은 이질적 요소들을 문제 속에서 녹여 해답을 찾는 과정이다. 융합의 목적은 해결하지 못한 난제를 해결하여 세상을 윤택하고 안전하게 만드는 데 있다. 지식 융합이 추구하는 방향은 융합을 통한 전문성을 키워내는 것이다. 융합은 서로 다른 두 분야에 대한 깊은 이해를 통해 남들이 보지 못하는 연결고리를 발견하고, 새로운 가치를 창출하는 작업이다. 아이폰에서 볼 수 있듯이 이제는 세분화된 지식이나 기술보다는 창의성을 통해 새로운 가치를 창출하는 제품이 세계를 이끌어간다. 창의성이나 새로움 같은 개념은 기존의 한 분야에서 나오기가 무척 어렵다. 기존 산업의 기술과 제품, 서비스를 창의적으로 재조합해 새로운 가치와 시장을 창출하는 활동으로 융합을 정의하면 무리가 없다.

우리나라의 대표적인 창의적 융합 인재로 꼽히는 TBWA(미국 뉴욕에 본사를 둔 국제 광고회사)의 크리에이티브 디렉터 박웅현 씨는 융합형 인재를 '섞고, 말고, 비빌 줄 아는 사람'이라 정의했다. 기존의 영역을 추구하는 것에서 벗어나, 다른 영역의 것들을 섞고 비비다 보면 창의적인 아이디어가 떠오른다는 말이다.

서울대 생명과학부 홍성욱 교수는 창의성은 새로운 무언가를 만들어내는 과정이 아니라 기존에 존재하는 것들을 새롭게 조합하고 융합하는 과정이라고 말했다. 다른 사람이 생각하지 못한 방법으로 새로운 조합을 만들어내는 능력, 이것이 바로 창의성이다. 기존에 하던 방식으로 접근해서는 답이 찾아지지 않는 유형의 문제가 있다. 이런 경우 기존 방식에 다소 엉뚱한 요소를 결합해 문제를 해결하는 사람이 창의적 인재다. 홍 교수는 융합을 한마디로 '탈 경계'로 정의했다. 융합은 서로 다른 두 가지를 뒤섞는다는 의미라기보다는 자기가 아는 영역과 모르는 영역을 넘나드는 능력이라는 것이다. 융합을 잘하는 사람은 박학다식한 사람이 아니라 '내가 아는 것이 전부가 아니다'라는 생각의 유연성을 가진 사람이다. 자신이 전문적으로 잘하는 분야 외에도 자신에게 도움이 되는 것들이 충분히 많다고 생각해야 한다. 홍 교수는 융합형 인재가 되기 위한 방법으로 다른 분야에서 일하는 사람에 대한 관심, 다른 분야를 이해하며 경계를 넘으려는 태도, 새로운 영역을 자신의 분야에 융합하려는 지적 실험 정신 등이 필요하다고 설명했다. 자신이 잘 아는 분야의 경계를 넘어서 자신이 잘 모르는 낯선 영역과 소통하는 것이 융합형 인재가 되는 첫걸음이다.

창의 인재는 융합이 답이다. 다양한 분야의 지식을 버무리는 역량이 중시되고 있다. 융합은 이질적인 것에 대한 포용력, 새로운 것에 대한 개방성, 타 분야에 대한 이해, 그리고 타인에 대한 존중을 전제로 한다. 융합의 시대, 소프트 융합이 핵심이다. 기술의 융합, 산업의 융합, 학문의 융합 등 융합이 사회 전반에 걸쳐 핵심 키워드로 떠오르고 있다. 인식의 전환과 발상의 전환은 정부, 군, 산업계, 학계 모두에게 요구된다. A or B보다는 A and B로 생각하고, 의도적으로 섞어보고, 집단 지성을 활용하며, 분야 간의 경계 허물기에 주목하자.

융합의 성공 사례를 살펴보자. 융합은 제품 간, 제품-서비스 간, 서비스 간 등 다양한 형태로 진화한다. 제품 간 융합의 대표적인 사례로 스마트폰을 빼놓을 수 없다. 기존 휴대전화의 기능에 MP3, 인터넷, 카메라, 기타 다방면의 콘텐츠를 한곳에 넣은 스마트폰이야말로 융합의 대표 주자다. 선박과 항공기를 융합하여 초고속 운항 성능을 갖춘 차세대 해상 운송 수단인 위그선도 제품 간 융합의 예라 하겠다.

제품-서비스 간 융합 사례로 아마존 킨들의 전자책과, 단일망을 이용해 TV와 인터넷, 전화 등 방송 통신 융합 서비스를 제공하는 인터넷 TV(IPTV)를 들 수 있다. 서비스 간 융합의 경우 현재 상용화되지 않았지만 정보 통신과 의료를 연결해 언제 어디서나 질병을 예방하고 진단 사후 관리 서비스를 받을 수 있는 유 헬스(U-Health, 유비쿼터스 헬스 케어)

를 들 수 있다. 첨단 정보 기술(IT) 인프라와 유비쿼터스 정보 서비스를 도시 공간에 융합해 도시의 제반 기능을 혁신시키는 유시티(U-City)도 융합 기술이 가져올 현재이자 미래다.

융합 산업은 원천 기술을 가지고 있지 않더라도 기존 기술의 재조합 및 응용을 통해 단기간에 신 시장을 창출할 수 있다. 중소기업도 혁신적 성장을 할 수 있다. 미래학자 앨빈 토플러(Alvin Toffler)는 "한국의 미래는 융합 기술에 달려있다"고 했다. 무엇보다 융합의 기본은 경계를 허무는 일이므로 원활한 소통을 방해하는 제도적, 문화적 장애물을 반드시 제거해야 한다.

비빔밥과 융합형 인재

우리 민족은 선조들이 물려준 융합 기술 소질을 타고난 것처럼 보인다. 우리 문화 곳곳에 융합의 특성이 배어 있다. 비빔밥이 가장 대표적인 예인데, 비빔밥은 밥에 각종 나물과 고기 등을 섞어서 비벼 먹는 음식이다. 그런데 이것들만 넣고 섞으면 잘 비벼지지 않는다. 비비기 위한 윤활제로 참기름을 넣고, 고추장도 한 수저 넣는다. 비빈다고 다 맛있는 비빔밥이 되는 것도 아니다.

들어가는 요소가 제각기 맛있어야 비벼도 맛있다. 똑같은 요소라도 잘못 비비면 음식물 찌꺼기가 될 뿐이다. 융합 능력을 갖추는 일이 중요하다. 학문 간의 경계, 직업 간의 경계를 허물고, 각 분야를 아우르는 융합이 요즘 세상의 큰 흐름이다.

군의 합동성 강화

융합의 시대에 군에서 반드시 필요한 것은 '합동'[12]이다. 시대가 변하고 있다. 이제 지상, 공중, 해상 단독으로는 승리할 수 없다. 이들을 하나로 묶는 융합이 대세다. 기술이 발달하고 무기의 사거리, 정밀 타격, 파괴력, 통제 영역이 확장되면서 각 군의 작전 영역은 중첩되고 영역 구분이 어려워졌다. 각 군의 영역을 나누는 것이 아니라 나에게 없는 타군의 능력을 활용하는 것, 벽을 허물고 섞어 새롭고 창의적인 역량을 발휘하는 것이 강조되고 있다. 1980년대 들어 본격적으로 군의 합동이 실행되었고 오늘날에는 물리적 합동을 넘어 창조적 합동으로 변화하고 있다. 융합의 시대에 맞춰 새로운 모양의 합동을 만들어야 한다.

미래는 우리에게 언제나 새로운 모습으로 다가온다. 과거의 생각으로 미래를 대비할 수는 없다. 새로운 기술, 새로운 무기, 새로운 생각들이 쏟아지고 있다. 그것들을 모두 용광로에 집어넣어 창조의 과정을 거쳐야 한다. 미래 전쟁의 틀을 새롭게 정의할 군사 엘리트들을 양성하고 그들로 하여금 육·해·공이 함께 버무려진 한국형 전법을 개발하게 만들어야 한다. 효과 위주 작전, 네트워크 중심전[13], 신속 결정 작전, 정보 작전, 사이버전, 정밀 타격 무기, 로봇 등을 대한민국의 여건에 맞게 비빔밥처럼 종합적으로 버무려내야 한다.

---

12 합동(joint)이란 동일 국가의 2개 군 이상의 부대가 동일 목적으로 참가하는 각종 활동, 작전 편성을 말함.

13 전장에 배치된 병사로부터 지상/해상/공중/우주에 배치된 다양한 센서들과 지휘소 그리고 타격체제들을 하나의 체계처럼 통합시켜 실시간 정보 소통이 가능한 네트워크를 구축하는 것.

케네스 알라드(Kenneth Allard)는 자신의 책『미래전 어떻게 싸울 것인가』에서 합동 작전의 중요성을 강조했다. 이라크 전쟁에서 미군이 사용한 네트워크 중심전의 지휘 통제 체계는 육·해·공군의 전문성을 접목시킨 합동 작전으로, 최단 시간 내 미군의 압도적인 승리를 이끌어냈다.

당시 도널드 럼스펠드(Donald Rumsfeld) 미 국방장관은 "이번 이라크 전쟁은 육·해·공군과 해병대가 각각 싸운 전쟁이 아니고 4개 군이 합동으로 싸워 이긴 것이다"라며 합동 작전의 성과를 높이 평가했다.

합동성 강화를 위한 리더의 통합적 사고가 중요하다. 통합적 사고는 나무와 숲을 동시에 보는 사고다. 합동성 강화는 더 이상 선택이 아닌 생존의 문제다. 합동성은 너와 나를 넘어선 우리란 개념이다. 미래 전장 환경의 복합적 위협에 대비하기 위한 우리 군의 합동성 강화는 더 이상 선택의 문제가 아니다.

협업하라

인간은 사회적 동물이다. 험악한 세상에서 홀로 살아남기에는 너무나도 나약한 존재다. 하지만 힘을 모으면 두려울 게 없다. 오랜 시간 맹수의 먹잇감이었던 인간이 지구의 주인이 될 수 있었던 것은 바로 협업(協業) 능력 덕분이다. 옥스퍼드 대학교의 로빈 던바(Robin Dunbar) 교수는 인간의 뇌가 기하급수적으로 커진 이유가 사회적 협업 때문이라고 제시한 바 있다.

지금은 전통 산업 간의 경계가 무너지는 새로운 시대다. 시대에 맞는 새로운 성공 방식을 찾아야 생존할 수 있다. 여러 가지 어려운 조건에서도 성과를 낼 수 있는 리더가 성공한다. 각 조직이 점점 유기적으로 연결되면서 타인과의 협력이 더욱 중요해지고 있다.

영화를 만들 때는 다양한 직능의 사람들과 협업을 하게 된다. 촬영팀, 조명팀, 미술팀, 분장팀, 음악팀, 시각효과팀 등 다양한 직종의 사람들과 협동하여 작품을 만든다. 그래서 영화를 종합예술이라고 하는 것이다. 이처럼 협업은 중요하다.

협업에 답이 있다. 얼마 전 폭스바겐 사태가 발생하며 독일 제품이 신뢰도에서 큰 타격을 받았다. 하지만 이번 사태가 독일 기업 전반의 위기로 확산되지는 않았다. 독일 기업의 강한 경쟁력은 폭스바겐이 아닌, 여러 기업들의 원천 기술을 바탕으로 협업하여 개발한 '첨단 기술'에서 나오기 때문이다.

융합과 협업의 리더십

리더는 조직을 위해 주변 환경을 잘 읽고, 성과를 내기 위한 가장 효율적인 방법을 찾아야 한다. 조직원 사이의 적극적인 협업을 위해서는 수평적인 문화가 중요하다. 모든 과정을 구성원들과 공유하고 조율해 조직 전체가 최고의 성과를 낼 수 있도록 해야 한다.

협업 문화 조성을 위한 리더십이 중요시되고 있다. 최근 각종 수단이 증가하면서 조직의 협업에 대한 관심이 커졌는데, 올바른 협업 문화를 이끄는 리더십의 사례는 많지 않다. 상명하달이 익숙한 조직에 협업 문화를 수립하는 자체도 어려울 뿐더러 협업 조직 역시 결정 및 실행의 속도에서 아직 한계를 보이는 경우가 많다. 올바른 협업 조직의 리더는 조직 간 협업을 유도하는 동시에 때로는 협업을 중단시키는 결단도 내려야 한다. 또한 리더는 자신의 네트워크를 활용할 줄 알아야 한다. 리더의 네트워크는 주위에 지인이 많다는 의미를 넘어 다양한 분야의 사람들과 아이디어를 창출하고 자원을 연결할 수 있다는 뜻이다. 협업 문화가 지나친 회의 및 토론으로 이어지지 않도록 협업의 시작과 중단을 신속하게 결정할 수 있는 카리스마 역시 중요하다.

협업이 선택이 아닌 필수가 된 상황에 '얼마나 잘 적응하느냐'가 성패를 가름할 것이다. 융합과 협업을 잘하는 리더가 되려면 무엇보다도 먼저, 통찰력이 필요하다. 리더는 보이지 않는 미래를 꿰뚫어 보고 새로운 방향을 찾아내어 혁신적인 가치를 창출해 내는 폭넓은 혜안과 안목을 지녀야 한다. 다음은 독창성이다. 리더는 새로운 문화와 가치를 만들어 내는 독특하고 창의적인 마인드를 지녀야 한다. 그 다음은 유연성이다. 리더는 현재의 모습에 연연하지 않고 언제든지 더 나은 모습으로 변화시킬 수 있는 잠재력과, 자신과 다른 반대 주장에도 귀 기울일 수 있는 유연함을 지녀야 한다. 마지막으로 포용력이다. 리더는 조직원들의 실수나 시행착오도 너그럽게 감싸주어 성공의 기회로 전환시킬 수 있는 넓은 아량을 지녀야 한다.

3절 | 이 시대가 요구하는 리더십

　이 시대가 원하는 리더는 어떤 리더십을 갖춘 사람일까? 시대가 변했다. 지시적이지 않고 설득적인 사람, 대결적이지 않고 화합적인 사람이 리더가 되어야 한다. 사사로운 이익이 아닌 공익과 공공선을 위해 헌신하려는 의지를 바탕으로 사회의 갈등 문제를 해결하고 새롭게 성과를 창출해내는 리더가 필요하다. 이를 위한 리더십 이론도 계속 발전하고 있다. 복잡해진 사회에서 리더 혼자 조직을 끌고 나가기보다 팀이 함께 나아갈 때 생존과 발전 가능성이 높아진다. 이러한 관점에서 시대적 요구를 반영한 리더십은 가치 추구 리더십, 진성 리더십, 맞춤형 리더십 그리고 경영자 팀 리더십이라고 말할 수 있다. 이러한 리더십에 대해 살펴보자.

(1) 가치 추구 리더십

미국 심리학자 로키치(Milton Rokeach)는 가치관을 '다양한 상황에 대한 행동이나 결정을 이끌어 내는 신념'이라고 정의했다. 가치란 어떤 특정한 행동 양식 또는 존재 목적은 다른 행동 양식, 존재 목적보다 개인적으로 또는 사회적으로 더 바람직하다는 기초적인 신념을 말한다.[14]

이는 무엇이 옳고 그르며 또한 무엇이 바람직한지에 대한 개인이 가진 생각의 판단 기준을 포함한다. 일반적으로 가치는 태도와 행동에 영향을 미친다. 가치관은 한 개인의 행동을 주도하는 중요한 그 어떤 것을 의미하기 때문에 가치관이 다르면 행동 양식도 달라진다. 그렇다면 가치관은 어떻게 형성되는가? 가치관은 사람이 성장하는 과정에서 학습에 의해 형성된다. 우리가 품고 있는 가치의 상당 부분은 어렸을 때 부모님, 선생님, 친구들, 그리고 타인과의 관계 속에서 형성되어 온 것이다. 아이들은 어떤 행동이 바람직하고 어떤 행동이 바람직하지 않다는 것을 배우며 자란다. 여기에서 바람직한 것과 바람직하지 못한 회색지대(중간 부분)는 거의 없다. 학자들의 연구에 의하면 가치관의 많은 부분이 만 4세까지 형성된다고 한다.[15]

사명·비전·핵심 가치

리더란 조직의 가치를 분명히 하고, 현실을 해석해 내며, 의미를 찾아 실천하게 만들고, 조직 행동의 원칙에 적합한 응집된 이미지를 전달하기 위한 상징 또는 역할 모델을 창조하는 사람이다.[16] 그 결과는 많은 차이를 가져 올 수밖에 없다. 전환기의 어려운 환경을 극복하고 지속적인 성장을 위해 필요한 리더십은 구성원들이 함께 나아가야 할 방향과 원칙을 제시하는 것이다. 이를 조직 내 공통의 언어로 표현한 것이 사명

---

14 밀턴 로키치, 『The Nature of Human Values』, (New York : Free Press, 1973), 5쪽.

15 김성국, 『조직과 인간 행동』, (명경사, 2003), 49쪽.

16 워렌 베니스 외(김원석 옮김), 『리더와 리더십』, (황금부엉이, 2005), 7쪽.

(Mission)·비전(Vision)·핵심 가치(Core value)이다.

조직을 이끌어 나가기 위해서는 왜 이 일을 해야 하는지(사명), 어디로 향할 것인지(비전), 무엇을 신념으로 삼아 실천해야 하는지(핵심 가치)가 필수적으로 요구된다. 어느 조직이든 존재 이유가 명확해야 구성원들이 헌신할 수 있다. 자신이 참여하고 있는 모임의 목적과 이유가 명확하면 그 모임은 지속력과 응집력을 갖게 된다. 특히 비영리 조직일수록 미션인 이념, 사명, 업의 본질 또는 존재 이유가 명확해야 한다.[17]

가치관의 핵심 요소인 사명은 한마디로 '모든 조직의 존재 이유'다. 사명은 조직이 어떠한 역량을 바탕으로 세상에 어떤 역할과 기여를 할 것인지, 즉 조직의 궁극적인 목적을 표현한다. 세계 호텔업계에서 가장 위대한 기업 중 하나로 꼽히는 메리어트 인터내셔널(Marriott International)의 직원들에게 기업의 존재 이유를 물으면 그들은 "우리 메리어트 인터내셔널은 길을 떠나온 나그네들에게 마치 친한 친구의 집에 온 듯한 안락함을 주기 위해 존재한다"고 대답한다. 같은 질문을 2류 호텔 체인으로 내려앉은 하워드 존슨(Howard Johnson)의 직원들에게 하면 "여행객들에게 숙박 시설을 제공하기 위해 존재한다"고 답한다. 두 호텔 중 어느 곳의 직원이 고객에게 더 친절하게 응대할지, 어느 곳의 직원이 자기 일에서 의미를 찾고 보람을 느낄지는 안 봐도 뻔하다.

기업 구성원인 사람들의 가슴을 뛰게 하는 일의 의미와, 가치가 있느냐 없느냐의 차이는 크다. 기업은 이윤을 추구하는 집단이지만, 기업 혼

---

17 송영수, 『리더가 답이다』, (크레듀, 2013), 28쪽.

자 잘 먹고 잘 살려 해서는 안 된다. 사회에 보탬이 되는 가치를 창출해야 한다.

비전은 조직이 지향하는 꿈과 바람직한 미래상을 단 한 줄의 꿈이라는 슬로건으로 표현한다. 비전은 모든 구성원이 공감하고 참여해서 합의 도출하여 만들어야 한다. 꿈을 잃은 사람에게 살아가는 의미가 없는 것처럼, 꿈이 없는 기업은 존재 이유를 갖지 못하고 방황하게 된다. 어쩌다 좋은 성과를 내더라도 그때뿐, 곧 자만심과 매너리즘에 빠져 쇠락하기 쉽다. 직원들의 가슴을 뛰게 하고, 모든 직원들이 같은 꿈을 공유하고, 그 꿈을 이룰 수 있다는 믿음을 가지면, 그 기업은 단순히 이윤을 추구하는 집단이 아닌 하나의 꿈을 향해 달려가는 비전 공동체가 된다. 꿈을 추구하는 공동체는 상상을 뛰어넘는 거대한 힘을 발휘한다.

핵심 가치는 조직 구성원들이 사명과 비전을 이루기 위해 반드시 지켜야 할 원칙과 기준이다. 최근에 발생한 세월호 참사, 메르스 사태에 대한 관련 기관의 대응을 볼 때, 이러한 원칙과 기준이 제대로만 실행되었다면 하는 아쉬움이 크다. 의사 결정의 가장 중요한 기준을 정리한 것이 바로 핵심 가치다. 핵심 가치가 정립되지 않은 조직은 나아갈 방향을 잡지 못하고 갈팡질팡하는 술주정꾼과 같다.

다른 누군가의 행동에 화를 내거나, 칭찬을 하거나, 좋아하거나, 싫어하는 것은 모두 그 사람이 가진 가치관의 반영이다. 나눔과 배려를 중요하게 생각하는 사람이 있는가 하면, 도전과 성취를 중요시하는 사람이 있다. 돈을 중요하게 생각하는 사람이 있는 반면, 명예를 우선시하는 사람도 있다. 액자 속의 핵심 가치는 필요 없다. 사고와 행동이 살아있는 핵심 가치여야 한다. 리더의 역할은 부하 직원에게 핵심 가치 교육을 직

접 하고, 핵심 가치를 실천하게 만드는 것이다. 물론 핵심 가치 실천은
리더부터 해야 한다.

〈사례〉 기업의 핵심 가치

먼저 외국 기업의 핵심 가치에 대해서 알아본다. 1802년 설립된 듀폰
의 대표적인 핵심 가치는 '안전(Safety)'이다. 듀폰은 내·외부 사람을 막
론하고 회의를 시작하면 건물 평면도를 펼쳐 화재 등 재난 상황 시 안전하
게 대피하는 방법을 공유한다. 차량 승차 시는 반드시 안전띠를 착용하고,
운전 중 휴대폰 사용을 금지하는 등 사람의 안전을 위협하는 모든 요소를
예방하도록 규정화하고 있다. 고인이 된 애플의 스티브 잡스는 사망 전 인
터뷰에서 "사람들을 위한 최고의 제품을 만들겠다는 우리의 가치는 5년
전 혹은 10년 전과 같다"고 말할 정도로 핵심 가치는 기업의 성공과 밀접
한 관계가 있다.

다음으로 한국 기업의 핵심 가치에 대해 살펴본다. 기업의 핵심 가치에
는 창업자가 가장 중요하게 생각하는 가치가 반영된다. 그것이 그 기업만
의 독특한 문화를 만들게 된다. 현대에는 창업자 고 정주영 회장이 일관되
게 강조해온 원칙과 기준이 있었다. '무슨 일이든 할 수 있다고 생각하는
사람이 해내는 법이다'라는 것이다. 이러한 생각이 현대의 핵심 가치이자
정신이다. 이를 좀더 세분화하면 창조적 예지, 적극적인 의지, 강인한 추
진력 등이 된다. 무엇이든 무조건 해내야 한다는 것은 다소 합리적이지 않
더라도 돌진해본다는 뜻이다.

삼성 또한 고 이병철 창업자가 일관되게 강조해온 원칙과 기준이 있다.
그것은 다름 아닌 '인재 제일'과 '합리 추구'다. 이는 '기업은 사람이다'라

는 신념을 바탕으로 인재를 소중히 여기고 마음껏 능력을 발휘할 수 있는 환경을 제공함을 의미한다. 합리 추구는 이를 가능케 하는 기업 환경을 조성하기 위한 가치다.[18]

기업의 가치관은 보는 즉시 머릿속에 명확한 그림이 그려져야 한다. 구구절절한 설명 없이도 즉시 이해되는 것, 그것이 좋은 가치관이다.

〈사례〉 군의 핵심 가치

미국 육군은 1990년대 중반 '7가지 핵심 가치'를 만들었다. 시간이 흐르며 공화당·민주당 정권은 계속 바뀌었지만, 충성(Loralty), 의무(Duty), 존중(Respect), 헌신(Selfless Service), 명예(Honor), 정직(Integrity), 용기(Personal Courage)인 미 육군의 7가지 핵심 가치는 변함없이 이어지고 있다. 더글러스 맥아더([Douglas MacArthur) 장군은 "전승 의지, 즉 전쟁에서 승리를 대신할 수 있는 것은 아무것도 없으며, 승리하지 못하면 국가는 멸망하게 된다는 확고한 인식이 여러분들의 가치관입니다"라고 말했다. 필자는 그의 말이 군 가치관을 가장 잘 표현했다고 생각한다. 또한 미국 육군 참모총장을 지낸 데니스 J. 라이머는 "지휘 통솔은 가치관과 군기, 그리고 팀워크에 관한 것"이라고 말했다. 이런 것들은 영속적인 가치를 지닌다.

한국군의 핵심 가치에 대해서 살펴본다. 육군이 추구하는 핵심 가치는 '충성', '용기', '책임', '존중', '창의'적인 복무이다. 육군의 5대 가치관

---

18 전성철 외, 『가치관 경영』, (쌤앤파커스, 2013), 55~88쪽.

은 육군의 모든 구성원들을 하나로 결집시켜주는 공통의 신념 체계이다. 육군의 가치관들은 지휘자(관)들이 군 입대 후 훈련 첫날부터 은퇴식에서 마지막 경례를 할 때까지 강조하는 생활 방식이다. 가치관에 기초한 훈련이 교실 수업보다 중요하다. 지휘자들은 군의 가치관이 내면에서 생생하게 살아 움직이도록 만들어야 한다. 가장 중요한 것은 가치관에 기초를 둔 지휘 통솔이다. 지휘자는 자기 부하에 대한 변함없는 헌신을 가져야 한다.

즉, 장병들에게 알려주고 보호해 주고 가르쳐주고 지도하며 그들의 관심사를 이해하고 돌보아 주어야 한다. 이것이 바로 지휘 통솔의 핵심이며 과거 어느 때보다 지금 우리가 필요로 하는 것이다. 해군의 핵심 가치는 '명예', '헌신', '용기'이다. 공군이 추구하는 4대 핵심 가치는 '도전', '헌신', '전문성', '팀워크'이다. 각 군에서 제정한 핵심 가치가 뿌리내리고 내재화하기 위해서는 장병들의 이해와 공감대 형성이 필요하고, 구성원들이 공통된 가치관과 신념을 받아들이는 내재화 과정이 필요하며, 행동으로 실천하는 노력이 수반되어야 한다. 핵심 가치 내재화는 개인의 가치와 조직의 가치가 조화를 이루면서 조직의 핵심 가치를 자신의 것으로 만드는 과정이다.

(2) 진성 리더십

현대 미국 대통령들에 대한 전기(傳記)를 써서 퓰리처상을 받은 열 명의 작가들이 모여 한 권의 책을 썼다. 그들은 여러 차례 토론을 거쳐 만장일치로 제목을 채택했는데 그것이 바로 '성품보다 중요한 것은 없다

(Character Above All)'이다. 여기서 말하는 성품(character)은 인간의 됨됨이, 성격, 자신감, 살아온 배경 등을 말한다. 리더에게 최고의 자질은 온전한 인격이요 성품이며 성격이다. 남을 이끌고 다스리려면 먼저 자기 인품, 즉 인간성을 갖추어야 한다. 인품을 갖추는 것이 재능보다 중요하다. 성실치 못하면서 재능이 많은 자는 승냥이나 이리와 같다. 사람을 해칠 가능성이 높다. 리더십에서 가장 중요한 것은 리더의 올바른 성품인 인품이자 인격이다. 이것이 부하들이 '기꺼이' 따르게 만드는 핵심적인 요소다.

기업 리더십의 측면에서도 변화한 패러다임에 맞는 새로운 리더십이 요구된다. 진성 리더십(Authentic Leadership)은 이와 같은 시대적 조류를 반영해 등장한 개념으로, 미국 갤럽이 주최한 2004년 네브래스카 리더십 컨퍼런스에서 처음으로 소개된 패러다임이다. 여기에 모인 학자들과 실무자, 운영자들은 그때까지 리더십 이론과 프로그램이 리더의 스킬만을 강조했음을 지적했다.

리더십 스타일과 스킬을 부정하는 것이 아니라, 그 뿌리가 리더의 품성을 바탕으로 할 때 선한 영향력을 발휘한다고 보는 것이다. 아무리 뛰어난 리더십 스킬과 스타일도 그 뿌리가 품성에까지 내려가지 않으면 영원할 수 없다.

2000년대 들어 엔론과 월드컴, 타이코 등의 CEO들이 사적인 이익을 위해 부정을 저지르고 주주들에게 막대한 손해를 끼치면서 진성 리더십이 새롭게 각광받기 시작했다. 진성 리더십의 핵심은 리더의 스타일이나 스킬이 아닌 리더의 '품성(品性)'이다. '진정성 있는 품성을 갖춘 리더'라는 의미로 진성(眞性) 리더십이라 한다.[19]

최근 세계 각지에서 일어난 정치, 경제적 시위의 공통적인 구호는 '탐욕과 부패의 추방'이었다. 이러한 구호에는 탐욕과 부패에 질린 사람들의 바람인 '진정성이 통용되는 사회'에 대한 열망이 담겨 있다.

진성 리더십은 명확한 자기 인식을 바탕으로 확고한 가치와 원칙을 세우고, 투명한 관계를 바탕으로 주위에 긍정적인 영향을 끼치는 능력을 말한다. 나는 누구이고 지금까지 어떠한 삶을 살아왔으며 내가 소중하게 여기는 핵심 가치가 무엇인지 평생을 다해 찾아가는 여정이다. 핵심은 스스로에게 진실해야 한다는 점이다.

진정성 있는 리더

한국에서도 진정성 있는 리더에 대한 갈망이 사회적 이슈로 떠오른 지 오래다. 지금까지 한국 사회는 진정성이 결여된 리더의 폐해를 여느 사회 못지않게 경험해 왔다. 최근 인사청문회를 보면 '능력은 있으나 청렴하지는 않은' 정치인들을 쉽게 볼 수 있다. 장관 후보자 대부분은 '자기 자신에게 부끄럽지 않을 정도로 인생을 진솔하게 살아왔는가?' 하는 진정성 측면에서 낙제점을 받았다.

진정성은 왜 중요한가? 진정성은 리더십의 홍수 속에서 혼란을 겪고 있는 리더들에게 하나의 나침반으로 작용하면서 다른 리더십 스타일의 바탕을 제공하고 있기 때문이다. 조직 구성원들이 리더와 함께 지속적인 임무를 수행하기 위해서는 리더의 솔선수범과 진정성이 중요하다. 직종과 상관없이 진성 리더가 되기 위해 공통적으로 강조되어야 할 것은

---

19 윤정구, 『진정성이란 무엇인가』, (한언, 2012), 23쪽.

정직과 신뢰 구축이다.

지난 20여 년간 리더의 역량 중요도를 조사한 「리더십 챌린지 (Leadership Challenge)」라는 연구 보고서에서 동서양을 막론하고 리더의 정직성은 200여 가지의 리더십 역량 가운데 부동의 1위를 차지했다. 조직 구성원들은 항상 리더가 정직한 사람인지, 원칙을 지키는지, 도덕적·윤리적으로 문제가 없는지 평가한다. '리더가 팀원의 정직성을 판단하는 데 시간이 오래 걸릴 수도 있지만, 팀원은 3일만 같이 근무하면 리더의 정직성을 판단할 수 있다'고 한다. 리더는 수족관 안의 금붕어와도 같다. 리더가 팀원을 평가하듯이 팀원 또한 리더를 평가한다는 사실을 인식하고, 지속적으로 신뢰를 구축하기 위해 노력해야 한다.

사람들은 왜 진정성에 열광할까? 데이비드 쿠퍼는 이렇게 말했다. "진성 리더의 가장 큰 특징 중 하나는 다른 사람을 자신의 도구로 사용하려는 욕심이 없다는 것이다."

진성 리더십에서는 리더십의 씨앗(진성 리더)과 토양(진정성 있는 조직) 간의 상호 작용을 중시한다. 기존의 상황 이론에서는 리더의 자유 의지가 상황적인 요인에 종속된다고 여겼다면, 진성 리더십에서는 리더가 상황을 적극적으로 해석하고 재구성하여 바꾸어나갈 수 있다고 본다. 진정성 있는 조직의 특성은 CEO의 품성으로 발휘된다. 진정성 넘치는 CEO가 있다는 것은 진성 리더가 되기를 열망하는 조직의 구성원들에게 비옥한 토양을 가꿀 거름을 가지고 있는 것과 같다.[20]

---

20 앞의 책, 윤정구, 26쪽.

직원들은 자신이 존중받고 있다는 생각이 들지 않을 때 마음이 조직을 떠나거나 이직을 생각한다. 따라서 자신이 존경받고 싶은 만큼 팀원들을 존중하는 태도가 무척 중요하다. 평소 진성 리더십을 갖추려고 노력하는 한편 구성원들 간의 신뢰 관계를 만들어 가는 데 열정을 가지면 조직원의 헌신을 이끌어 낼 수 있다. 이는 조직의 성과 달성에 기여하게 된다.

〈사례〉 박태준 회장의 진성 리더십

진성 리더십의 사례로 전(前) 포스코 회장인 박태준(1927-2011)에 대해서 알아본다. 산업 기반이 미약하여 기술 자립을 미처 이루지 못했던 1970년대에 포항제철이 '산업의 쌀'인 철(鐵)을 만들어내지 못했다면 오늘날의 자동차 강국이나 조선 강국, 세계 10위권의 경제력, 1인당 국민소득 2만7천여 달러 시대는 오지 않았을 것이다. 그는 한국이 산업화를 이룩하는 데 크게 기여했고, 국민의 삶을 향상시켰으며, 한국 사회가 반드시 기억해야 할 국민적 영웅 중 한 명이다.

그에게 포항제철은 단순히 기업 하나를 세우는 게 아니라 '5000년 동안 쌓인 우리 민족의 체념과 패배 의식'을 불식시키는 역사(歷史)였다. 박 회장은 임무 완수에 온 열정을 쏟아 부었고 마침내 그 누구도 믿지 못했던 세계적인 기적을 만들어냈다. 50년을 함께한 동료이자 부하였던 황경로 전 포스코 회장은 박 회장에 대해 '청렴하면서도 속정이 깊어 따를 수밖에 없는 분', '정이 많고 인간적인 분'이라고 회상했다.

박 회장은 뒤에 물러서 있기보다 누구보다 먼저 작업 현장에 도착하여 진두지휘하고 솔선수범했으며, 부여받은 임무는 기필코 완수해 냈다. 그에게는 확고한 진성 리더십이 있었다. 진실된 품성과 인간성, 정직과 청렴성, 도덕성, 신뢰와 책임감 그리고 창의력 등이 합쳐지며 부하 직원들의 열정을 이끌어냈고 불가능한 일을 가능하게 만들었다.

철의 사나이 박태준은 포스코를 창립했지만 단 한 주의 포스코 주식도 소유하지 않은 청렴한 기업가였다. 인재 양성에도 힘을 기울여 포항에 27개 학교를 설립한 발자취를 남겼다. 박 회장의 이러한 행보가 전 세계적으로 높이 평가되는 포스코 신화를 만들었고, 미국의 하버드와 스탠포드를 비롯한 여러 대학교에서 박태준의 리더십을 연구하고 있다.

리더의 모범과 솔선수범은 구성원들의 신뢰와 열정을 이끌어낸다. 이것이 바로 진성 리더십이다. 리더의 진정성은 습관을 통해 형성됨을 잊지 말아야 한다.

(3) 맞춤형 리더십

시대와 상황이 끊임없이 변하는 것처럼 리더에게 주어진 임무와 환경역시 매번 달라진다. 작년에는 통했던 방식이 올해는 통하지 않을 수 있고, 지난 분기에 긍정적인 성과를 도출한 일이 이번 분기에는 어그러질수도 있다. 동일한 상황이 반복되는 경우는 거의 없다. 여기서 통했던 리더십이 저기서는 통하지 않는다. 리더십은 참 어렵다.

평화 시의 리더십과 전쟁 때의 리더십은 명백하게 다르다. 작은 조직에서 통용되는 리더십과 큰 조직에서 사용되는 리더십에는 차이가 있다. 리더십은 케이스 바이 케이스, 그때그때 다르다. 리더십에도 새로운 시각이 필요하다.

리더십은 상황에 따라 다르게 적용되어야 한다. 폴 허시(Paul Hersey)와 켄 블랜차드(Ken Blanchard)는 네 가지 스타일로 리더십을 구분했다. 지시적 리더십, 설득적 리더십, 참여적 리더십, 위임적 리더십이다. 그들은 부하의 준비 수준, 즉 특정 과업을 달성하고자 하는 능력과 의지를 갖는 정도에 따라 리더십을 달리 적용했다. 능력과 의지가 모두 부족한 부하에게는 지시적 리더십을, 능력은 부족하나 의욕은 넘치는 유형에는 설득적 리더십을, 능력은 있지만 의욕이 부족한 경우에는 참여적 리더십을, 능력과 의욕이 모두 충분한 경우에는 위임적 리더십을 사용하는 것이 효과적이다.

리더가 주도적으로 이끌어주어야 성과를 올리는 유형이 있고, 부하가 직접 주도해야 더 잘하는 유형도 있다. 한 가지 문제에 한 가지 정답만 존재하는 게 아니다. 각각의 상황에 따라 적합한 리더십 유형을 선택, 사용하는 것이 리더의 역량이다.

〈사례〉 박칼린의 맞춤형 리더십

맞춤형 리더십의 사례로 박칼린이 보여준 리더십에 대해 이야기하고자 한다. 몇 년 전에 KBS 방송국의 한 프로그램에서 기존 진행 멤버들과 오디션으로 선발된 참가자들로 아마추어 합창단을 편성하고 2개월간 연습하여 전국 합창단 경연대회에서 상을 받기까지의 과정을 방영해 큰 인기를 끌었다. 서로 다른 멤버들이 함께 모여 급조된 오합지졸 합창단은 처음에는 실력이 형편없었지만 짧은 시간 안에 누구보다 진지하게, 열정적으로 바뀌어갔고 시청자들은 그 모습에 빠져들었다.

특히 음악 감독으로 출연한 박칼린(Kollean Park)이 보여준 참신한 리더십이 폭발적인 관심을 끌었다. 박칼린은 음치와 박치에 자신감이 부족하고 악보를 볼 줄 모르는 사람들까지 포함된 최악의 단원들을 단기간에 하나로 뭉치게 만들었다. 그녀가 가진 전문성과 통찰력으로 오디션을 통해 단원들을 파악하고, 서로 다른 성향과 목소리를 가진 합창단을 차츰차츰 가다듬어 수준별로 팀을 편성하고, 분리된 교육과 훈련으로 결국 아름다운 하모니를 만들어냈다. 그녀는 동·서양을 아우르는 리더십을 구사했다. 기본과 원칙을 중시했고, 엄격하면서도 공정하게 단원들을 대하며 소통하고 신뢰를 쌓았다. 박칼린의 리더십은 따뜻하면서도 프로다운 면모를 보여주며 일에 대한 완성도를 높여주었다.

필자는 박칼린의 리더십을 보며 자신의 분야에서 고도의 전문성을 갖춘 사람이 다른 사람들을 이끌 수 있다는 점을 새삼 깨달았다. 자기 분야에 대한 전문성, 상황에 대한 통찰력에 인성까지 갖춘 준비된 리더가 되어야 한다. 리더는 구성원 개개인의 특성과 능력을 꿰뚫어 보는 안목을 지녀야 한다. 구성원의 개성과 능력을 정확하게 진단할 때 부하들은 리더를 믿고 따른다. 리더는 수준이 일정하지 않은, 서로 다른 능력을 가진 조직 구성원들을 하나로 모아 성과를 창출해야만 한다. 이럴 때 리더의 맞춤형 리더십이 조직을 성공적으로 이끌 수 있다. 능력 있는 부하 직원만이 아닌 때로는 뒤처지는 직원, 무기력한 직원들까지 보듬으면서 하나의 목표를 향해 함께 전진하는 것이야말로 이 시대가 요구하는 진정한 리더십이다.

(4) 경영자 팀 리더십

　과거에 비해 경영 환경이 더욱 복잡해졌고, 미래는 더욱 예측하기 힘들어지고 있다. 이러한 환경에서 기업은 살아남기 위해 리더에게 혼자서는 감당하기 어려운 복잡하고 다양한 역량을 요구한다. 리더가 이러한 역량을 감당할 수 있는 방법은 경영자 팀 리더십(Management Team Leadership)을 구축하는 것이다. 하버드 비즈니스 스쿨의 베니스(Bennis) 교수는 "과거에는 리더십이라 하면 CEO 개인에게 요구되는 역량으로 인식되었지만, 이제는 조직이 필요로 하는 리더십 역량을 CEO 개인이 혼자서 완벽히 다 갖출 수는 없으며, 그럴 필요 또한 없다"고 한다. CEO 개인보다 경영자 팀 차원의 리더십을 갖추는 것이 효과적이다.

　지적으로 아무리 뛰어난 능력을 가졌다 한들 환경이 복잡해지고 불확실성이 높아지는 현대 사회에서 리더가 모든 정보를 제대로 읽어내기란 불가능에 가깝다. 이런 상황에서는 오히려 조직원 각자가 리더와 같은 마음가짐으로 환경의 변화와 그 영향력을 읽어내고, 이를 공유하면서 전략적으로 결정을 내려야 한다. 탁월한 리더들은 개인 역량이 아닌 팀 역량을 중심으로 한 공유 리더십, 혹은 분배 리더십을 실천한다.

　이들은 팀을 리더십의 기반 삼아 각 구성원들이 리더십을 나누어 수행하게 만들고, 공동의 책임을 지도록 장려한다. 이런 리더들은 대외적으로는 팀을 대표하는 공식적 역할을 수행하고, 내부적으로는 구성원 간의 문제를 조율하고 그들을 지원한다. 바로 이것이 험난한 환경을 돌파하는 집단적 지혜를 모으는 가장 효과적인 방법이자 조직의 장기적

번영을 위해 역량을 개발하는 지름길이기 때문이다.[21] 경영자 팀 리더십을 좀더 구체적으로 알아보자.

경영자 팀 리더십이란?

경영자들이 동등한 위치에서 상호 보완적이면서도 상이한 리더십을 발휘하여 조직의 리더십을 형성할 때, 이를 경영자 팀 리더십이라 한다.[22] 경영자 팀 리더십의 존재 형태는 회사마다 조금씩 다르지만, 선진 기업의 경우 보통 2명 이상의 최고경영자(CEO), 최고재무담당자(CFO), 최고기술담당자(CTO), 최고운영담당자(COO) 등과 같이 특정 영역을 제각기 담당하도록 구성한다. 최근 이러한 경영자 팀 리더십의 중요성이 부각되고 있지만, 실제 이를 활용한 기업이 항상 성공하는 것은 아니다. 공동 리더십에서 문제가 발생할 수 있으니 이를 대비하는 네 가지 보완책이 필요하다.

먼저, '기본적인 업무(task) 보완'을 기초로 한 '전문 기술(expertise) 보완'이 필요하다. 두 리더의 전문 기술이 겹칠 때 '인지적(cognitive) 보완' 관계가 작동한다. '역할(role) 보완' 관계도 있다. 한 사람이 대중에게 공포의 대상이면서 동시에 애정의 대상이기는 힘들다. 대중에게 이미지가 다른 두 사람이 결합할 때 역할 보완이 이루어진다. 마이크로소프트의 빌 게이츠와 스티브 발머(Steve Ballmer)는 환상적인 역할 보완 관계를 보여준다. 게이츠는 회사가 나아갈 기술적 비전을 창조하고 제시했

---

21 앞의 책, 윤정구, 42-43쪽.

22 허진, 「경영자 팀 리더십이 중요하다」, 『LG경제연구원, 주간경제 752호』, (2003.11.5).

으며, 발머는 세일즈와 마케팅을 강하게 밀어붙이며 회사를 전 세계적인 기업으로 키웠다.

상호보완적인 리더십이 성공하려면 팀을 지지할 네 가지 요소가 필요하다. 공동 비전, 공동 인센티브, 커뮤니케이션, 신뢰가 이에 해당한다. 비전을 함께 나누지 못하고 서로 공감할 수 없게 되면 팀은 깨지게 된다. 공동 비전에 대해 전적으로 공감하더라도 인센티브를 두고 서로 경쟁해야 한다면 역시 무너지기 쉽다. 한 사람은 단기 실적에 집착하고, 다른 한 사람은 장기 목표에 치중한다면 팀이 존속하기 어렵다. 팀원 모두가 돌아가는 상황에 대해 정보와 의견을 공유하지 않으면 자칫 잘못된 결정을 내릴 수 있다. 팀을 안정적으로 꾸려나가는 데 있어 가장 중요한 요소는 신뢰다. 상대 팀원을 회사 전체의 이익을 끌어 올릴 리더 중 한 사람이라고 믿지 않는다면 팀의 뿌리가 흔들린다. 신뢰가 없으면 팀에 위기가 닥치자마자 바로 주저앉게 된다. 구성원들 간에 깊은 신뢰가 존재하면 건전한 갈등을 걸러낼 기회도 갖게 된다.

경영자 팀 리더십 성공 요인
그렇다면 경영자 팀 리더십은 어떠한 경우에 성공하는가?

첫째, 경영자 팀 리더십을 구성하는 경영자들 간의 호흡이 서로 잘 맞아야 성공한다. 경영자들 사이에 조화와 화합이 잘될 때 새로운 가치를 창출할 잠재력이 커진다. 그런데 호흡이 맞기 위해서는 모순되게도 경영진들 간 동질성과 이질성이 동시에 존재해야 한다. 상호 이질성은 서로 부족한 리더십을 보완해 주며, 동질성은 신뢰의 기반이 되어 커뮤니케이션과 상호 작용을 촉진시키기 때문이다. 선진 기업들의 사례를 살펴보면 경영진들 간에 지식이나 스킬, 능력과 같은 면에서는 이질성을 추구하지만, 가치관이나 인성과 같은 면에서는 동질성을 추구하는 경향이 있다. GE의 경우를 예로 들어보자. 전 회장 렉 존스(Reg Johns)가 잭 웰치(Jack Welch)와 그를 도와 함께 경영할 경영자 팀을 선발할 때 가장 중요하게 고려한 점이 바로 인간적인 공감대와 신뢰였다. 즉, 인성 측면에서의 동질성을 가장 중요하게 여긴 것이다. 일단 이러한 조건을 충족한 사람들에 한해 잭 웰치에게 부족한 리더십 역량을 보완해 줄 사람들을 선발하였다.

둘째, 경영자들의 갈등을 사전 예방해야 한다. 호흡이 잘 맞는 경영자 팀 리더십을 구성했다 하더라도, 이것이 지속적으로 유지되지 못한다면 조직의 성공으로 이어지기는 힘들다. 경영자 팀 리더십이 지속되지 못하는 이유는 여러 가지가 있겠지만, 그 가운데 하나가 경영자들 사이에 발생한 갈등이다. 주로 서로에 대한 경쟁의식이 생겨 상대방을 누르고 점점 독자적인 리더십을 행사하고 싶어 할 때 이런 문제가 생긴다. GE의 경우에는 경영자 팀 리더십이 회장(Chairman), CEO, 부회장(Vice Chairman) 조직으로 구성되며, 부회장으로 발탁된 사람이 CEO가 될 수 있는 기회를 막는 제도를 두었다. 이 제도로 인해 GE의 부회장 출신이 타 기업의 CEO로 가는 사례가 많아 'CEO 양성소'라는 별명을 얻기도 했다. 어쨌든 잭 웰치가 CEO로 재임한 20여 년간 GE 내에서 경영진들의 갈등으로 경영자 팀 리더십이 와해되는 위기는 오지 않았다.

셋째, 실무를 통한 리더십 후보군 양성이 필요하다. 경영자 팀 리더십이 지속되지 못하는 또 다른 이유는 경영자의 적절한 승계 계획의 부재다. 경영자 팀이 장기적 관점에서 적시에 적합한 사람들로 제대로 보충되지 못하기 때문이다. 이러한 경우에는 경영자 팀 리더십에 있는 경영진들의 리더십 스타일을 파악해서, 언제든 뒤를 이을 수 있도록 후계자들을 육성하는 제도를 마련해야 한다. 예를 들면, GE의 경우에는 경영자 팀 리더십을 구성할 후계자를 함께 포함시키고 있다. 즉, 실무를 통해 경영자 팀 리더십의 확보와 유지를 동시에 달성하고 있는 것이다. 최근 우리 기업들이 앞 다투어 우수한 리더십을 확보하고자 경쟁하고 있다. 이러한 상황에서 다른 기업들이 하니까 무조건 따라한다는 식으로 리더십을 확보하고자 한다면 결국 기업의 경쟁력에 도움이 되지 못한다. 우리 기업이 필요로 하는 리더십이 '천 명의 조력자를 가진 한 명의 천재'인지, 함께 모이면 불사조가 될 수 있는 '독수리 5형제'인지를 미리 정하고 노선에 맞는 리더십을 확보하는 것이 조직 성공에 더 가까운 지름길일 것이다.

리더는 자신을 따르는 수동적인 다수의 수용(受容)과 존경을 받을 때 한층 효과적인 리더십을 발휘할 수 있다. 리더십을 제대로 발휘하려면 사람을 이끄는 기술과 함께 사람의 마음을 움직이는 요령 또한 알아야 한다. 기본과 원칙을 중시하고 업무를 단순화하고, 실행력과 현장을 중시하고 질문으로 리드하고 요청할 때 효과적으로 리더십을 발휘할 수 있다.

리더십의 효과 및 성공 여부는 리더가 얼마만큼의 리더십을 발휘하느냐에 못지않게 팔로어가 얼마만큼 리더를 잘 믿고 따르느냐에 달려있다. 집단의 성공에 대한 리더의 공헌도는 10~20%에 불과하고 나머지는 팔로어의 공헌이다. 리더십은 리더와 팔로어의 상호작용으로 발휘된다. 둘의 관계는 공생의 관계인 것이다.

미국의 트루먼(Harry Truman) 전 대통령은 "모든 Reader가 Leader는 아니지만, 모든 Leader는 Reader다"라고 말했다. 독서를 통한 끊임없는 학습을 강조한 것이다.

리더(leader)는 책을 많이 읽고(reader), 깊이 생각하여(thinker), 새로운 길을 열어 주는 사람(trailblazer)이어야 한다. 모든 답은 책 속에 있다. 책을 보면서 생각하고 질문을 통해 내용을 내 것으로 만들어야 한다. 리더십을 성공적으로 잘 발휘하는 훌륭한 리더가 되고 싶다면 독서를 통해 간접경험을 늘릴 것을 권한다.

제 2 장

효과적인 리더십
발휘 조건

 사람들은 바쁘다는 핑계와 이미 다 알고 있다는 착각으로 '기본(基本, basic)'을 쉽게 지나친다. 하지만 기본이야말로 일의 성과를 좌우하는 가장 본질적이고도 중요한 키워드이자, 남들과의 차이를 만들어 내는 핵심 요소다. 기본과 원칙을 철저히 지키는 것이 성공의 지름길이다. 우리가 기본으로 돌아가야 하는 이유는, 기본은 입문이나 기초가 아니라 그 자체로 전부이며, 문제가 생겼을 때 기본으로 돌아가야 답이 보이기 때문이다. 기본을 건너뛴 자는 반드시 무너지고 만다.

 중국의 경영 컨설턴트 왕중추(王中求)가 쓴 『디테일의 힘』에서 '100-1=0'이라고 했다. 100가지 일을 다 잘했어도 한 가지를 잘못하면 허사라는 것이다. 아무리 훌륭한 과업을 수행한다 할지라도 사소하지만 기본적인 것을 놓치면 결과가 좋게 나올 수 없다. 우리가 아무렇지 않게 생각하고, 무시하거나 지키지 않았던 기본적인 것들이 오랜 시간 쌓아온 공든 탑을 무너뜨리는 결정적인 원인이 될 수 있다.

 훌륭한 선수들에게는 한 가지 공통점이 있다. 바로 탄탄한 기본기가 잘 갖춰져 있다는 것이다. 관중들은 피겨 여왕 김연아의 화려함과 올림픽 수영 금메달리스트 박태환의 힘이 넘치는 스트로크에 감탄하지만 그들이 진정 빛을 발휘할 수 있는 이유는 피나는 훈련으로 다져진 기본이 몸에 배어 있기 때문이다. 기본에 충실해야 한다.

(1) 기본이 혁신이다

'기본이 혁신이다.' 건설 현장의 현수막에 쓰인 글이다. 기본과 원칙을 지키지 않아서 일어난 수많은 사고로 얼마나 많은 인명 피해와 재정적 손실을 입었는가. 기본과 원칙은 모든 일의 최우선 순위가 되어야 한다.

필자는 가장 훌륭한 지휘 방법은 기본으로 돌아가는 것이라고 군 생활 내내 생각해 왔다. 몇 가지 근본적이고 영원한 원칙들이 나를 이끌었다. 브라이언 트레이시(Brian Tracy)는 "기본에만 충실하면 누구나 성공할 수 있다. 기본도 하지 못하면서 욕심만 많으니 성공하지 못하는 것이다"라고 했다. 강상구 작가 또한 그의 저서 『힘들수록 기본으로 돌아가라』에서 "기본은 단순한 입문이나 기초가 아니라 성공의 핵심이다. 기본을 충실하게 실천한다면 그 어떤 어려움도 극복할 수 있다"고 적었다.

어떤 일을 시작하려면 그 일에 필요한 기본이 무엇인지부터 알아야 한다. 기본을 염두에 두고 일을 하면 자연스럽게 자신의 목적지가 보인다. 그러면 변화에 흔들리지 않고, 주위에 휩쓸리지 않고, 자신이 추구하는 방향으로 올곧게 나아갈 수 있다. 기본은 단순한 기초가 아니라 최고의 자리를 얻는 기회 또는 유지할 수 있는 원동력이 된다.

기본을 건너뛰면 모래 위에 집을 짓는 것과 같다. 태풍이 불거나 홍수가 나면 그 집은 흔적도 없이 사라진다. 반면에 기본을 지키는 사람은 반석 위에 제대로 집을 짓는 것과 같다. 기억하자. 무슨 일을 하든지 기본을 잊어서는 안 된다.

건강한 사회의 기본은 무엇일까? 도덕성이 살아있는 사회, 질서와 공정한 게임의 규칙이 지켜지고 시스템으로 녹아있는 사회, 타인에 대한 신뢰와 배려가 있는 사회이다. 그러나 현실은 어떤가? 우리나라의 부패지수가 세계 40위에서 50위로 더 떨어졌고, 원칙이 무시되면서 생기는 불안함과 적당주의가 점점 더 심해지고 있다.

지금 우리가 살고 있는 세상은 법을 어기고도 잘못인 줄 아는 사람이 드물다. 왜 이러한가? 먼저, 기본과 원칙이 무시되고 지켜지지 않기 때문이다. 인간의 기본적인 윤리가 무시되는 세태로 사회 구석구석 파고든 상호 불신, 사촌이 땅을 사면 배가 아프다는 풍조가 팽배하다. 다음은 인간성이 상실되고, 도덕 불감증에 걸렸기 때문이다. 옆 사람이 잘못된 길로 빠져도 지적해주지 않고, 남이 어떻든 나만 편하면 된다는 생각이 만연하다. 마지막으로 예의범절에 대한 오해가 있다. 나이든 사람들은 예의범절을 자신의 권위를 지키는 데 사용하려 들고, 젊은 사람들은 이를 부당하거나 고리타분하다고 여기는 경향이 있다.

기본의 사전적 개념은 사물의 기초와 근본을 말한다. 또한 직장인·사회인으로서 갖추어야 할 몸가짐, 마음가짐, 예의범절, 절차(process)와 원칙(principle)을 따르는 것을 의미한다.

우리나라는 2014년의 세월호 해상 사건을 경험하면서 기본과 원칙의 중요성을 절감했다. 그런데 세월호 침몰 사건 이후에도 버스터미널, 요양원, 야외공연장, 관광지 펜션 등 다수가 이용하는 시설에서 대규모 인명 피해가 계속하여 발생했다. 또다시 비슷한 사고가 일어난 것은 사람들이 아직도 '설마'하는 안일한 생각에 사로잡혀 안전에 대한 기본을 지키지 않은 탓이다. 이것은 국민 의식 수준의 문제이기도 하다. 우리들의 의식 수준이 향상되지 않는 한 그 해결책은 어렵기만 하고, 선진국 대열에 진입하기는 더더욱 어려울 것이다.

이즈음에 기본으로 돌아가야 한다. 학교부터 기업 현장, 군, 정부 행정에 이르기까지 성숙하고 안전한 사회를 향한 매뉴얼을 작성하고 체질화해야 한다. 오늘 우리 사회의 모습을 보면 기초가 부실한 채 높이 올라간 건물이 떠오른다. 다시 엄청난 노력과 시간을 투자하지 않고서는 진정한 의미의 완공은 힘들지 모르겠다는 불안감마저 든다.

안전한 비행을 위해서는 기본과 원칙을 철저하게 준수해야 한다. 필자의 군복무 시절, 부대에 지원 나온 미군의 시누크(CH-47) 헬리콥터를 보았다. 착륙하고 이륙할 때마다 예외 없이 조종사와 보조원은 체크북(점검표)을 보면서 매뉴얼에 따라 점검했고, 근무자가 직접 그 부위를 눈으로 확인하며 이상 유무를 보고했다. 10여 분에 걸려서 장비를 점검 확인한 후에 이륙하여 임무를 수행하는 것을 보면서 안전은 예외가 없어야 한다고 생각했다. 그것이 안전을 보장받는 길이다.

성공의 지름길은 기본과 원칙

기본을 건너뛴 자는 반드시 무너지고 만다. 기본기가 모자란 사람은 어느 정도 수준에 가면 한계에 부닥친다. 하지만 기본에 충실한 사람은 한계에 도전하는 것 자체가 성공임을 안다.

말로만 하는 안전제일의 끝은 비참하다. 파란불일 때 건너고 빨간불일 때는 기다려야 한다거나, 음주운전을 해서는 안 된다는 것쯤은 유치원생도 안다. 머리로는 법규를 준수해야 한다고 알면서도 실제 행동은 그렇지 않으니 사고가 날 확률이 높아질 수밖에 없다.

기본으로 돌아가기 위한 핵심은 나를 사랑하는 긍정적 자세를 갖는 것이다. 초심을 잃지 않고, 타협에 무너지지 않고, 차근차근 서두르지 않고, 날마다 꾸준히 실천하는 습관을 들이는 것도 중요하다.

'기본을 지킨다'는 말 자체는 쉽다. 하지만 실제로 이를 지키는 것은 어렵고 힘이 든다. 기본이 있어야 한다고 말하지만, 자신이 하고 있는 일의 기본을 물어보면 '글쎄요'라며 쓸데없는 것을 물어본다고 핀잔을 준다.

성공한 사람들에게 "성공의 비결이 무엇이었습니까?"라고 질문하면 '기본에 충실했기 때문'이라며 기본의 중요성을 강조한다. 실제로 그렇게 해서 성공했기 때문이다. 학생이 공부를 잘하려면 일단 교과서를 읽어야 한다. 교과서를 보지 않고 심화 과정부터 풀 수는 없다. 기본의 중요성은 학업뿐만 아니라 스포츠, 음악, 미술, 정치, 경제, 군사 등 모든 분야에서 통용된다.

기본을 알고 있어야 추월이 가능하다. 누구나 일정한 수준을 뛰어 넘기 위해서는 기본을 갖추어야 한다. 필자는 처음에 골프를 배울 때 정상적인 코치의 지도를 받지 않고 독학했다. 다시 말하면 검정고시파였다. 그래서인지 골프 실력은 어느 한계 이상 늘지 않았다. 기본이 서지 않았기 때문이다.

2002년 월드컵 경기에서 우리나라 대표팀의 4강 진출 영광을 안겨준 히딩크 감독은 축구 대표팀을 소집한 후 처음 한 달 동안은 오로지 체력 훈련과 패스 연습만 시켰다. 그는 아무리 베테랑 선수라도 머리를 비우고 패스부터 다시 배우라고 강조했다. 당시 축구 대표팀이 유럽의 팀들과 평가전을 할 때는 전문가와 팬들이 실망할 정도로 패배의 연속이었으나, 점차 기본기 훈련의 성과가 나타났고 사람들은 그의 생각이 옳았음을 알게 되었다. 기본을 다져야 상대방을 추월할 수 있는 실력을 가질 수 있다.

히딩크 감독의 성공은 학연이나 명성이 아닌, 스포츠의 기본인 체력을 바탕으로 실력 있는 선수를 선발한 덕분이라고 본다.

(2) 복잡하면 행동하기 어렵다. 단순화하라

꼭 필요한 것이 아니면 모두 정리해서 비우고, 지우고, 줄여라. 즉, 단순화해야 한다. 기술은 계속 발전하기 때문에 단순함을 활용해야 제품을 차별화할 수 있다. 디자인의 거장 존 마에다(John Maeda)가 강조한 '단순함의 5원칙'을 소개한다.

> · 신중하게 기능을 줄여라.
> · 여러 아이템을 몇몇 카테고리로 정리하라.
> · 시간을 단축해 단순함을 느끼게 하라.
> · 상식은 모든 것을 단순하게 만드는 원동력이 된다.
> · 복잡함을 활용해 단순함을 부각시켜라.

단순하지 않으면 스피드가 떨어지고, 그러면 추격당한다. 단순화는 가장 지혜로운 의사 결정의 결과물이다. 욕심을 비우고 선택과 집중을 할 때 비로소 단순해진다. 복잡한 것을 단순하게 생각하는 것이 중요하다. 어떤 일을 심플하게 마무리하고, 일상을 심플하게 유지하는 것은 말처럼 쉽지 않다. 욕심이 생기고, 꾸밈과 허세가 매순간 빈틈을 파고들기 때문이다. 그때마다 '단순하게'를 떠올리면 일상이 간결해진다.

교차로에 한 번에 많은 자동차가 진입하면 교통 체증이 발생하여 도로 사정이 굉장히 복잡해진다. 하지만 교차로에 입체 도로를 만들면 복잡한 상황을 단순화시킬 수 있다. 복잡한 현상을 평면에서 입체로, 2차원에서 3차원으로 바꿔 생각하면 굉장히 간단해 보인다. 이처럼 문제 해결을 위해 차원, 시야, 각도를 다르게 보는 것이 중요하다.

잡스는 제품 개발, 디자인 그리고 조직 운영에 이르기까지 극도의 단순함을 지향했다. 그리고 그 단순함으로 애플은 전 세계 시가 총액 1위 기업이 되었다.

세계 최대 기업 중 하나인 GE의 제프리 이멜트(Jeffrey Immelt) 회장은 "조직이 커지면서 중요하지 않은 일을 너무 많이 하고 있다. 단순화는 직원들이 중요하지 않은 일에 맞서 중요한 일을 할 수 있도록 돕는 도구다. 단순화는 조직을 더 날렵하게 만들고, 관료주의를 없애며, 시장에 완전히 집중하게 한다"고 말했다.

현대카드는 2016년 업무량의 15%를 줄이는 것을 목표로, 전 직원에게 단순화를 달성하기 위한 아이디어를 제공받았고, 공모된 1,400여 개의 아이디어 중 660건을 완료했다. 나머지들도 실행 계획이 확정됐다. 현대카드 정태영 사장은 단순화를 '한 번 하고 마는 구호나 정신 운동이 아닌, 회사의 경쟁력을 유지하기 위한 매우 중요한 사안'으로 판단했다. 여기에는 회사 구조, 의사 결정 과정, 조직 정비, 효과는 적고 손은 많이 가는 롱테일(Long tail) 업무 정리, 보고서와 협조 부서, 회의 횟수 줄이기 등 일상적 사안이 모두 포함된다.

경영 전문가들은 매듭처럼 얽힌 복잡한 문제를 돌파하는 해법으로 '단순화 규칙(Simple rule)'에 주목한다. 단순화 규칙은 선택지가 너무 많아 겪는 혼란을 줄여준다. 세세한 지침 대신 최소한의 기준만 세우면 자연스럽게 가장 중요한 기준에 집중하게 되기 때문이다.

단순화 규칙

단순화 규칙은 처리해야 할 일을 눈앞에 둔 사용자가 명확한 지침과 판단할 자유 사이에서 균형을 잡게 도와주는 지침들이다.

먼저, 단순화 규칙을 세울 때 원리는 '최소한의 기준'이다. 다시 말해 가장 중요한 대상에만 집중하라는 뜻이다. 규칙을 세우는 과정에서 수많은 지엽적 변수가 제거되면 나머지 규칙은 기억하고 적용하기도 쉽다.

다음으로 규칙 적용 대상을 명확하게 정의한다. 단순화 규칙의 대표적인 예가 제2차 세계대전 당시 도입된 의무병 치료 우선순위 규칙이다. 녹색 표지는 치료가 지연되더라도 위험하지 않은 '보행 가능 부상자', 흑색 표지는 의료 처치를 해도 생존 가능성이 낮아 고통 완화 조치만 취해야 할 부상자에게 붙인다. 나머지 부상자는 상황에 따라 그때그때 치료한다. 의무병은 단순화 규칙에 따라 빠르고 합리적인 선에서 의료 조치의 우선순위를 판단해 치료했다.

마지막으로 큰 원칙만 제시하고 일선 재량권을 많이 주는 것이다. 단순화 규칙의 또 다른 특징은 지나치게 세세한 지시가 아니다. 큰 원칙은 지키되 융통성을 발휘할 여지를 충분히 남겨 두어야 한다. 복잡한 규칙은 사람을 행동하는 로봇으로 만들지만 단순한 규칙은 사람의 재량을 최대한으로 발휘할 수 있는 자유와 창조성을 준다. 일관성이 필요한 상황보다는 융통성이 필요한 상황, 기회를 잡을 때 얻을 수 있는 이익이 실수에 따른 비용보다 큰 상황일 때 단순화 규칙이 특히 효과적이다.

단순화 규칙을 만드는 6가지 방법

단순화 규칙은 적용하는 상황의 수만큼이나 다양하다. 그러나 개별 규칙이 아무리 다양하더라도 근본 구조를 살펴보면 대략 6가지 정도로 방법을 구분할 수 있다.

첫째, 수용과 거부의 경계선을 명확히 하라. 포함 대상과 제외할 대상의 경계를 명확하게 가르는 규칙이 '경계선 규칙'이다. 이 규칙은 시간과 분석력, 정보를 많이 요구하지 않으면서도 의사 결정을 내리는 속도를 앞당기는 데 큰 역할을 한다. 미국 정부는 군부대가 드론(무인정찰기)을 공격할 때 세 가지 규칙에 의해 사용하도록 정했다. 목표물이 미국인에게 지속적인 위협을 가하는가? 이 위협을 효과적으로 처리할 수 있는 다른 나라 정부는 없는가? 민간인이 죽거나 다치지 않을 것으로 거의 확신하는가? 세 가지 기준에 모두 '그렇다'고 답할 수 있을 때 드론 공습을 허가한다.

둘째, 업무의 우선순위를 확실히 정하라. 기업 입장에서 가장 효과적으로 사용할 수 있는 규칙이다. 부족한 돈, 시간, 관심을 두고 경영하는 여러 대안의 순위를 정할 때 도움을 주기 때문이다. 기업이 고객, 목표 시장, 협력 상대를 찾을 때 특히 효과적이다. 우선순위의 규칙은 비슷한 조건의 다양한 대안 가운데 최적의 대안을 찾을 때 유용하다. 같은 자금을 어디에 어떻게 투자할지 고민할 때도 쉽게 따를 수 있는 규칙을 정해두면 빠르게 의사 결정을 내릴 수 있다.

셋째, 업무를 언제 중단할지 기준을 정하라. 대표적인 사례로 스콧 피셔(Scott Fisher)가 세운 '2시 정각의 규칙'이 있다. 스콧 피셔는 에베레스트 등반을 돕는 전문 산악인이었는데 오후 2시 정각에 정상에 도달하지 못하면 무조건 하산한다는 규칙을 만들었다. 이 규칙을 따르면 해 질녘에 하산하는 위험한 상황을 피하고, 안전하게 하산할 수 있는 체력과 산소를 확보할 수 있다. 1996년 5월, 스콧 피셔와 함께 산을 오른 등반가들은 정상에 오르고 싶다는 유혹에 휩쓸렸고, 2시에 하산할 타이밍을 놓쳤다. 게다가 일기예보와 달리 기상이 악화되면서 체력이 소진되었고, 결국 출발했던 대원 가운데 스콧 피셔를 포함해 다섯 사람이 사망하는 최악의 결과를 낳았다.

넷째, 규칙은 많지도 적지도 않아야 한다. 예술가가 창의력을 최대로 발휘하는 환경은 어떤 환경일까? 아무런 제약도 없는 무한한 자유를 떠올리기 쉽지만, 의외로 세기의 명작을 남긴 화가들은 일정한 규칙을 세워 그림을 그렸다. 컴퓨터처럼 시시각각 기술이 변화하는 불안정한 산업계에서 체계가 지나치게 많이 잡힌 기업, 혹은 적게 잡힌 기업은 오래 버티지 못했다. 아예 규칙을 무시한 회사는 복잡하게 꼬여가는 환경을 버텨내지 못했고, 지나치게 규칙이 많은 회사는 민첩하게 대응하지 못한 채 도태됐다.

다섯째, 구성원이 많을 때는 상호 조정 규칙을 만든다. '승리'라는 공동 목표를 향해 함께 움직이는 전쟁터에서도 행동 조율 규칙은 반드시 필요하다. 나폴레옹(Napoleon Bonaparte)은 '총성이 들리는 쪽으로 진군하라'는 단순한 명령으로 전장을 지휘했다. 장교와 병사에게는 예측하기 어려운 현장 상황에 따라 행동을 자율적으로 조정할 재량권을 주었고, 가장 필요한 장소에 전력이 투입될 수 있는 효과를 낳았다.

여섯째, 시기 선택에 관한 규칙도 필요하다. 주기적으로 마감 시한과 목표를 정해 직원들이 일정한 수준의 긴박감을 유지하도록 하는 것이다.

조직을 성공으로 끌어나가기 위해서는 '단순 리더십'이 실행되어야 한다. 복잡성을 돌파하는 단순함의 철학은 리더가 앞장서서 발휘할 때 더욱 빛난다. 명확한 목표 설정은 조직 전체를 한 방향으로 가게 하는 원동력이 된다. '오디오 업계의 애플'로 불리는 보스(BOSE)는 어떤 연구와 기술이든 동원해 '최고의 음질을 만든다'는 단순한 원칙에 충실해 왔다. 보스가 만든 오디오는 복잡하게 설치할 필요가 없고, 파워 케이블과 전원 버튼만으로 곧바로 음악을 들을 수 있다. 이제는 단순함이 경쟁력을 갖는 스피드 시대다. 좀더 빠르고, 좀더 명료하고, 좀더 효율적으로 움직이는 자만이 최후의 승자로 남게 될 것이다.

실행력은 경쟁력을 확보하기 위한 행동 체계이자 기술 체계다. 실행은 하나의 독립된 전문 영역이다. 리더다운 리더는 칼 같은 실행력이 있다. 그렇다면, 실행이란 무엇일까? 목적과 방법을 검토하고 의문을 제기하며 끈기 있게 추진하고 책임 관계를 명확히 하는 체계적이고 엄격한 프로세스를 뜻한다.

크게 성공한 사람과 평범한 사람을 구별하는 작은 차이가 있다. 남들이 생각만 하고 있는 것을 행동으로 옮겨 실천한 사람들이 성공했다. 공부를 못하는 학생과 잘하는 학생, 불행한 사람과 행복한 사람, 실패한 사람과 성공한 사람, 그 차이는 어디서 오는 것일까? 바로 실행력에서 나온다. 원하는 것이 달라서가 아니다. 실행 여부가 다르기 때문이다.

리더의 5%만이 실행한다. 실패하는 리더의 70%는 단 하나의 치명적인 약점을 가지고 있다. 그것은 바로 실행력의 부족이다. 2005년 9월 7일 미국의 비즈니스 잡지인 「포춘(Fortune)」에 실린 기사를 보면, 미국 경영자의 95%가 옳은 말을 하고, 5%만이 옳은 말을 실행에 옮긴다고 한다. 리더십에서 중요한 것은 실천이다. 리더는 행동해야 한다. 리더가 아무리 좋은 성품과 전문 능력을 갖추고 있어도 실천하지 않으면 아무 성과도 낼 수 없다. 리더의 강한 실천력은 사람들을 한데 뭉치게 하고,

목적을 향해 달려가게 만들고, 성과를 위해 노력하게 만든다. 결과적으로 조직을 공동 비전을 가진 단단한 팀으로 변화시킨다.

(1) 리더십의 성패를 좌우하는 실행력

현대그룹 창업주인 고(故) 정주영(鄭周永, 1915~2001) 회장은 실행력을 매우 중시했다. 부정적인 시각에서 해보지도 않고 '안 된다'고 말하는 직원들에게 '해봤어?'라고 말하며 문제 해결을 위해 돌진했다. 이는 현대그룹의 도전정신 DNA가 되었다.

'안 된다'고 말하는 사람은 문제 해결을 위한 노력 자체를 포기한다. 하지만 '된다'고 하는 사람은 되게끔 모든 수단과 방법을 동원해서 노력하기 때문에 '되는 방법'을 찾고, 결국 긍정적인 결과를 가져온다.

오늘 못하면 내일 한다는 태도로는 발전이 있을 수 없다. 어려운 일을 피하다 보면 쉬운 일은 아무것도 없는 법이다. 내일은 오늘을 어떻게 사느냐에 달려 있고, 10년 후는 지금부터 10년을 어떻게 살아 왔는지의 결과이다.

'여행을 하려면 돈이나 시간이 필요한 게 아니라 떠나려는 태도가 중요하다'는 말처럼, 결국은 태도의 문제다. '상황이 돼야 여행을 가지'가 아니라 떠날 수 있도록 상황을 만드는 태도와 실행력이 필요하다. 제 아무리 뛰어난 능력자라 하더라도 태도와 실행력이 없다면 꿰지 못한 구슬과 같다. 태도와 실행력은 꿈을 현실로 바꾸는 전제 조건이다.

성공하는 리더의 비밀은 실행력이다. 실행력이 경쟁력인 셈이다. 조직이 실패했을 때 그 원인은 인재 부족이나 비전과 전략상의 문제, 시스템 상의 문제보다는 바로 실행력의 차이에 있다. 따라서 리더가 실행력에 집중하는 것이야말로 조직의 성패와 직결된다. 지위 고하에 관계없이 모든 리더들이 실행 정신으로 무장했을 때 비로소 조직에 기여하고 변화에 능동적으로 대처할 수 있다. 실행력도 기술이다. 실행력은 타고난 자질이 아니라 배우고 연습하면 누구나 개발할 수 있는 일종의 스킬이다. 실행력이 부족한 것은 의지의 문제가 아니라 아직 효과적인 방법을 배우지 못했기 때문이다. 왜 피아노를 치지 못하고, 왜 운전을 하지 못할까? 배우고 연습하지 않았기 때문이다. 실행력이 부족하면 실천 노하우를 공부하고 연습하면 된다.

실행력을 높이는 리더가 되려면 어떻게 해야 할까?

첫째, 목표를 쪼개서 작은 행동부터 설계한다. 우리가 해야 할 일, 진행할 프로모션을 만들어 세세한 실행 전략을 짠다. 높은 성과를 만들어내는 조직을 원한다면, 실행력을 높일 수 있는 지혜부터 생각해야 한다. 목표를 명확히 잡고 쪼개고 또 쪼갠다. 그리고 아주 작은 행동을 실행에 옮겨서 작은 성공을 만들어 본다. 그 작은 성공이 회오리처럼 큰 성공으로 다가올 것이다.

둘째, 실행의 이득을 구체적으로 상상한다. 실행력을 높이는 것이 왜 그리 어려울까? 바쁘고 당장 안 해도 되니, 뒤로 미뤄도 무방하다고 판단하기 때문이다. 스스로나 구성원 모두가 실행력을 높이고 싶다면, 실행으로 얻을 수 있는 이득을 구체적으로 상상하고 느낄 수 있도록 해줘야 한다. 강력한 질문도 한 방법이다. 기억하자. 변화의 결과 이득을 마음속 깊이 느낄수록 실행력은 배가 된다.

셋째, 실행 점검표를 만든다. 밀려드는 업무 때문에 애초 계획했던 목표를 미루는 상황이 발생할 수 있다. 조직에 필요한 리더가 되기 위해선 잘하는 것을 계속 강화하되 부족한 것은 지속적으로 보강할 필요가 있다. 목표를 실행할 때 실행 점검표를 통해 틈틈이 확인해야 한다. 실행 점검표는 변화할 행동을 동사형으로 기재한 후 계획 수립에 맞춰 표기한다. 예를 들면, 동그라미(○) : 이미 실행한 것, 세모(△) : 실행을 멈춘 것, 엑스(×) : 아직 실행하지 못한 것으로 표기한다.

매뉴얼의 실행 위력

전문성과 실력을 비슷하게 갖춘 사람들이 동일한 목표에 도전할 때, 얻게 될 결과는 같을까? 절대 그렇지 않다. 결과는 천차만별이다. 성과는 역량과 실행력을 곱한 값으로 결정되기 때문이다. '성과 = 역량×실행력'이며, 여기서 역량이란 재능, 지식, 창조적인 아이디어와 조직의 기획력, 혁신 전략 등을 포함한다. 그래서 재능이나 지식, 아이디어가 아무리 뛰어나도 실행력이 0점이라면 성과 역시 제로가 된다. 모든 위대한 성취는 반드시 실행함으로써 이루어지며, 아이디어가 정말 좋더라도 실행하지 않으면 아무 결과도 이룰 수 없다.

리더의 실행력의 차이가 경쟁력의 차이를 낳는다. 따라서 리더가 실행력에 집중하는 것이야말로 조직의 성패와 직결된다. 매뉴얼보다 더 중요한 것이 실행력이다.

아무리 좋은 원칙과 전략이 있더라도 이를 실행하는 것은 차원이 다르다. 실행에는 남모르는 노력과 고민, 그리고 연습이 필요하다. 우리는 원칙을 알면, 전략을 세울 줄 알면, 매뉴얼을 만들 줄 알면 '나는 이 일을 할 수 있다'고 착각한다. 하지만 실행에는 '낭비'처럼 보이는 부단한 노력과 고민, 연습과 훈련이 있어야 한다. 2014년 4월에 벌어진 세월호 참사 때, 세월호에도 참사를 막는 매뉴얼은 있었다. 그런데 우리는 그 매뉴얼을 제대로 작동할 사람과 시스템이 없었다는 사실을 알아야 한다.

우리는 그동안 매뉴얼이 없는 사회를 비판해 왔다. 하지만 이번 세월호 참사가 매뉴얼이 있는 것만으로는 부족하다는 사실을 아프게 알려주었다. 배가 가라앉고 있는데 누군가에게 자신을 희생하라는 건 불가능에 가까운 일일지 모른다. 그런 건 교양이나 도덕성 영역이 아니다. 하지만 우리가 세월호 선장을 비난하는 것은 그가 승객을 구하려다 배와 함께 장렬히 전사하지 않아서가 아니다. 그는 매뉴얼에 나와 있는 일을 제대로 실행하지 않고 자신의 안위부터 챙겼다.

2013년 샌프란시스코 공항에서 아시아나기의 착륙 사고가 발생했다. 우리는 그때 매뉴얼대로 뛰고 달린 승무원들을 지켜봤다. 실행되는 매뉴얼의 위력과 감동을 우리는 똑똑히 기억한다. 그게 '제2의 세월호'를 막는 진짜 비결이다. 현 상황을 정확히 분석하여 조직의 장래를 위한 적절한 방향을 제시하고 이를 실천할 수 있어야 한다.

(2) 당장 실천하라. 가장 적당한 때는 지금이다

타고난 익살과 재치로 유명했던 작가, 조지 버나드 쇼(George Bernard Shaw)는 그의 명성에 걸맞게 죽기 오래전에 자신의 묘비명을 이렇게 적어 놓았다. "우물쭈물하다가 내 이렇게 될 줄 알았지!"

실천하기 좋은 '특별한' 날은 없다. 중요한 일을 미루는 것은 불행한 사람들의 특징이다. 그들은 '나중에', '내일', '언젠가'라는 단어를 입에 달고 다닌다. "지금은 내키지 않으니까 나중에 하자.", "오늘은 바쁘니까 내일 하자." 그들은 지금은 때가 아니라고 실천을 미룬다. 하지만 새로운 시작을 위한 완벽한 타이밍은 없다. 실천하기 좋은 날은 '오늘'이고 실행하기 가장 좋은 시간은 '지금'이다. 지금 아니면 언제? 결심을 실천하기에 지금보다 좋은 때는 없다. 지금 있는 자리에서 할 수 있는 것을 하라. 꿈만 꾸지 말고 당장 실천하라.

당신은 혹시 꿈만 꾸고 있지 않은가? 작은 것 하나라도 행동으로 옮기는 실천력이 당신을 더 큰 리더로 만들어줄 것이다. 결국 성패는 실행력에 달려있다. 아는 것과 실천을 착각하면 안 된다. 리더십은 아는 것(knowing)이 아니라 실천(doing)의 개념이다. 미국인들은 리더십을 정의할 때 knowing과 doing의 차이(gap)를 줄여 나가는 것, 다시 말해 알고 있는 것과 실천하는 것을 하나로 맞춰가는 것이라 표현한다. 그러니 리더십은 타고난 성격이나 스타일의 문제라기보다는 실천의 문제라고 할 수 있다. 지식이나 정보는 공급 과잉일 정도로 넘쳐난다. 몰라서 하지 않는 게 아니라 열정과 추진력이 부족해서 하지 않는 것이다. 결국 리더의 실천이 답이다.

모든 리더들이 실행 정신으로 무장할 때 비로소 조직에 기여하고 변화에 능동적으로 대처할 수 있다. 실행은 조직에서 전략과 목표의 일부여야 한다. 실행이란 열망과 결과 사이의 연결 고리다. 실행의 중요성과 방법을 모르는 리더는 아무리 노력해도 저조한 실적만 올릴 뿐이다.

지금은 고인이 된 정주영 회장을 25년간 보필했던 권기태 전 현대건설 부사장은 정주영 회장이 지나칠 정도로 현장을 챙겼다고 회상한다. 마치 '호랑이 선생님' 같았다고 한다. 그것이 현대건설 발전의 원동력이었다. 그는 '조직의 긴장'이 곧 능률을 올리는 방법이라고 생각했다. 그리고 좋은 성과를 내면 파격적인 인사로 이를 보상했다.

정 명예회장은 소학교(현 초등학교)밖에 나오지 못했지만 기억력이 비상하고 배우려는 의지가 무척 강했다. 그는 이해될 때까지 계속 질문을 던졌다.

뒤를 이은 정몽구 현대그룹 회장은 '현장에서 보고, 현장에서 느끼고, 현장에서 해결한 뒤 확인까지 한다'는 삼현주의(三現主義) 실천이 현장 경영의 요체라고 강조했다. 모든 문제는 현장에서 시작되고, 그 결과도 현장으로 돌아가기 때문이다. 기업이나 행정, 정치, 군대도 마찬가지다.

우리들 문제는 현장에 답이 있다. 리더십은 현장과 소통한다. 교과서 속 이론은 결코 현장을 따라가지 못한다. 문제는 모름지기 현장에 있고, 답 또한 현장에서 찾아야 한다.

(1) 문제의 해답은 항상 현장에 있다

수사가 잘 풀리지 않을 때 형사가 반드시 찾는 곳은 사건 현장이다. 뭔가 문제가 있으면 다시 한 번 눈길을 돌려야 할 곳이 바로 현장인 것이다. 책상에 앉아 정답을 찾을 수는 없다. 발로 뛰어야 하고 눈으로 확인해야 한다.

조직의 책임자인 리더는 반드시 현장에 가봐야 한다. 그러면 모르는 것을 알 수 있고, 보이지 않던 것이 보이게 된다. 문제를 찾아낼 수 있고 해결책 역시 발견할 수 있다. 문제의 원인도 해결책도 현장에 있다.

현장은 속이지 않는다. 중요한 의사 결정을 하려면 현장에서 보고를 받고 확인하는 습관이 중요하다. 책임이 두려워 범하는 거짓 보고는 이적(利敵) 행위다. 좋은 리더는 현장에서 행동으로 통솔한다.

어떤 업무를 시작하기 전 합리성과 실리를 따지기 위한 계획서와 기획서도 있지만 대다수의 보고서는 결과 보고서다. 현장을 보지 않고 책상에서 결과 보고서를 작성하다 보면 허상을 쫓기 쉽고, 보고자의 사심이 개입되면서 결과물이 부풀려질 수 있다. 보고서는 의사소통의 창구일 뿐이다. 보고서에 의존해서 결정하는 리더는 실상을 보지 못하고 실책을 범할 수 있다.

사우스웨스트 항공의 전 CEO 허브 켈러허(Herb Kelleher)는 자신을 포함한 모든 임직원을 하나로 묶어서 외부와의 경쟁에서 이길 수 있도록 만드는 리더십을 발휘했다. '직원이 최우선(People First)' 문화에서 팀워크가 나왔다. 켈러허는 "직원부터 잘 대우하라. 그러면 그들이 고객을 잘 응대한다. 고객이 다시 사우스웨스트를 타면 주주들은 행복해진다"고 했다. 새벽 3시 비행기를 청소하는 직원들을 찾아가 도넛을 돌리는 일도 잦았다. 모든 직원이 '나는 회사의 소중한 존재'라는 생각을 갖게 됐다. 캘러허는 '어느 자리에서 무슨 일을 하든 모두가 회사의 주인'이라는 문화를 심었다.

CEO들은 현장에 귀를 기울여야 한다. 경기가 악화되어 매출이 줄면 회사 분위기가 나빠지는 것이 다반사다. 이럴 때 리더가 불황형 리더십을 발휘해야 한다. 무조건적인 채찍 대신 현실을 직시하고, 정보를 공유하며, 현장의 목소리를 듣는 것이다. 현장의 목소리를 들어야한다. 조직 분위기가 흐트러졌다면 평소와는 다른 리더십이 필요하다. 바로 직원의 불안을 잠재우고 자신감을 불어 넣는 것은 물론이고 위기 극복의 실마리까지 얻을 수 있는 리더십을 발휘해야 한다.

(2) 현장에서 답을 찾아라

'왜'라는 명분부터 찾고 난 뒤에 '어떻게'라는 행동 방법을 찾아야 한다. "나는 탁상 위의 전략을 믿지 않는다." 군사 전략가이자 사막의 여우라 불리는 명장 롬멜(Erwin Rom'mel)이 한 말이다. 수많은 역사와 전쟁 속에서 승리는 단순히 이론과 계획만으로 이루어지지 않는다는 것을 우리는 배웠다.

좋은 보고서는 현장 경험을 통해 얻어진다. 세상에서 가장 훌륭한 교사는 현장이라고 한다. 지휘관들은 통상 '현장에서 문제의 해답을 구하라'고 강조한다. 리더십의 원동력은 현장에서 나온다. 모든 것을 현장에서 느끼고 경험하며 그 경험한 것을 조직의 구성원들과 환류(Feed back)해야 한다. 미군 리더십 경구인 "현장의 문제가 무엇이며, 어떻게 극복해 나갈 것인가를 항상 고민하고 개선책을 찾아야 한다"를 항상 기억하고 실천하면 좋겠다.

〈사례〉 전방 철책선 도로 보수 이야기

필자가 중부전선 오성산이 앞에 보이고, 대성산과 적근산이 위치한 비무장지대의 전방사단 철책선 GOP부대 연대장을 하고 있을 때의 이야기다. 5번 국도에서 떨어진 철책선 직후방에 소초와 취사장들이 있었다. 보급 추진로를 통해 부식 등의 물품을 받았는데, 비가 오거나 눈이 내리면 보급 차량이 들어오지 못할 만큼 도로 사정이 좋지 않았다. 그럴 때마다 유동 병력을 동원해 부식을 수령해야 해서 소초마다 병사들의 고생이 심했다.

철책선 경계 부대를 순찰하다 그러한 현장을 목격한 필자는 어떻게 해야 이 문제를 해결해 병사들의 고통을 해소시킬 것인지 고민하게 되었다. 참모들과 의논하고 도로 현장을 찾아가 검토한 결과 보급 추진로에 자갈과 모래를 50cm 이상 깔아 보수를 하면 해결될 수 있겠다고 판단했다.

그 당시는 1개 연대가 사단 전 지역의 철책선 경계를 담당하고 있었다. 필자는 사단에 건의하여 1개 대대에 덤프트럭 5대씩, 2개 대대에 총 10대를 한 달 반 동안 지원받았다. 공사 기간 동안 자갈과 모래를 도로에 깔아 기상 상태에 상관없이 보급차량이 들어올 수 있도록 보수했다. 대대적인 도로 보수 공사가 끝나자 보급차량은 GOP 직후방 소초까지 아무 문제 없이 모든 보급품을 전달할 수 있었고, 불필요한 유동 병력 사용이 줄어들어 병사들의 어려움과 불편함 또한 해소되었다.

병사들이 물품을 나르는 모습을 보고도 별 문제의식 없이 지나쳤거나 관심을 기울이지 않았다면 여전히 그러한 상태로 남아 있을지도 모른다. 이 사례는 문제의식을 가지고 현장을 관찰한다면 문제가 보이고 해결 방법을 찾아 낼 수 있다는 경우를 보여준 것이다.

그 뒤로 그 지역에서 연대장을 마친 후배가 "선배님이 철책선 직후방 도로 보수 작업 덕분에 편안히 연대장을 마칠 수 있었다"며 고마움을 표시했다. 보람 있는 일이었다.

　현명한 결정을 내리기 위해, 새로운 것을 배우기 위해, 자기 자신과 다른 사람들을 이해하기 위해, 우수한 직원이 되기 위해, 이익을 얻기 위해 우리는 질문을 해야 한다. 리더는 적절한 질문을 주고받음으로써 조직원들의 역량과 주인 의식을 고취시킬 수 있다. 질문이 바뀌면 답이 바뀌고, 질문이 바뀌면 경영전략이 바뀌며, 질문이 바뀌면 인생이 바뀐다. 질문으로 핵심을 찌르고 스스로 깨우치도록 만들어 주어야 한다. 질문에는 세 가지 단계가 있다. 그것은 목적과 계획은 무엇인가? 어떻게 실행할 것인가? 어떤 결과가 나올 것 같은가?이다.

　회의 시간에 리더가 팀원을 키우기 위해 할 수 있는 가장 중요한 일은 '질문을 준비하는 것'이다. 질문이 바뀌면 사람이 성장한다. 회사는 리더의 비전만큼 성장하고, 팀원은 리더가 던지는 질문의 크기만큼 성장한다. 이제부터 어떤 질문으로 팀원에게 자극을 줄 것인가를 고민하자. 상대방에게 질문을 한 후에 함께 답변을 찾다 보면 단순한 정보 공유만이 아닌 조직의 질문 문화를 조성하게 된다. 이런 문화를 조성하면 나와 너, 노사 대결구도의 소모적인 관계가 사라지고 '우리'라는 공동체 문화가 자라난다. 질문의 목적은 '이기는 것'이 아니라 '원하는 결과를 함께 도출해 내는 것'에 있다.

또한 도움을 요청하는 것도 지혜 중의 지혜다. 묻는다는 말은 남의 도움을 받는다는 것도 있지만 그보다 나의 부족을 인정한다는 의미가 훨씬 더 크다. 아이처럼 물어오는 사람에게 박절하게 대하는 사람은 없다. 도움을 요청하는 일은 부끄러운 일이 아니다. 자신의 부족한 부분을 느낀다면 주변에 나보다 탁월한 사람을 찾아 물어보라. 그러면 그 사람은 흔쾌히 도울 것이다. 나는 그분의 도움을 받아서 성장하고, 그분은 나를 도움으로써 마음에 기쁨과 보람을 얻으니 서로에게 좋은 일이다.

(1) 지시 대신 질문하라

유대인들의 교육 특징 중 하나는 질문이다. 그들은 어릴 때부터 "오늘은 학교에서 무엇을 배웠니?"가 아니라 "오늘은 어떤 질문을 했니?"라고 들으며 자랐다. 그들에게는 "너의 생각은 어때?"가 일상화되어 있다. 이런 문화는 사고의 폭을 넓혀 나가는데 큰 역할을 한다.

창의적인 아이를 원하는가? 그렇다면 '질문하는 법'을 가르쳐라. "유대인식 교육은 질문에서 시작하며, 질문으로 끝난다. 실수를 숨기지 않고 드러내 개선책을 찾는 게 창의력을 기른다." 이스라엘 울프 재단의 리타 벤 데이비드 대표는 말한다. "전 세계의 사람들이 유대인식 교육이 '질문'으로 시작해 '질문'에서 끝난다는 것을 알고 있다. 하지만 이스라엘 학생들이 질문이 많고, 계속 물어보는 것도 교육의 결과물이라는 점은 잘 모른다. 처음부터 우수한 사람도, 처음부터 질문하는 사람도 없다. 질문하는 것도 배워야 잘할 수 있다. 질문하지 않는 것은 교육 방법이 잘못됐기 때문이다." 데이비드 대표는 질문하는 창의적인 아이로 키우기 위해서는 아이들에게 질문하는 법부터 가르쳐야 한다고 조언했다. "이스라엘 부모들은 아이들이 집에 오면 온종일 '가장 잘한 일'과 '가장 잘못한 일'을 물어본다. 또 왜 그렇게 생각하는지 다시 물어본다."

지시하지 말고 질문하라. 질문에는 나를 바꾸고 세상을 바꾸는 힘이 있다. 좋은 질문 하나가 세상을 바꾼다. 창조적 능력은 질문에서 나온다.

마이클 J. 마쿼트(Michael J. Marquardt)는 자신의 저서 『질문 리더십(Leading with Question)』에서 질문의 의미를 다음과 같이 설명한다. 질문의 중요성을 최초로 강조한 것은 소크라테스(Socrates)였다. 질문은 자신의 무지를 통감하게 하고, 탐구 과정을 촉발시킨다. 질문에 대해 1차적인 대답이 주어지고, 그 타당성을 검토하는 과정에서 제2의 질문과 대답이 제시되고, 결국 만족스런 답이 나타날 때까지 계속되는 것이 플라톤(Plato)의 변증법(dialectics)이다. 여기서 질문은 문제를 제기할뿐더러 탐구의 방향도 제시한다. 질문이란 진리를 발견하는 결정적인 방법이다.

질문의 중요성

질문이 왜 그렇게 중요할까? 질문을 바꾸면 세상을 바라보는 관점이 달라진다. 질문하기를 주저하지 않는 사람은 주저하는 사람보다 반드시 더 많이 얻고, 알게 된다. 질문을 통해 지식과 상황에 맞는 판단력을 얻게 되면 문제 해결에 대한 답을 구할 수 있다. 또한 질문을 통해 우리는 다음과 같은 능력을 얻을 수 있다. 원하는 정보를 얻는 힘, 남의 호감을 얻는 힘, 남의 마음을 움직이는 힘, 사람을 키우는 힘, 논쟁을 주도하는 힘, 자신을 통제하는 힘을 말이다.

성공하는 리더는 다음과 같은 질문 습관을 가지고 있다. 먼저, 옳은 질문(Right question)을 한다. 유능한 리더는 서로 질문하는 분위기와 환경을 만든다. 리더는 일방적으로 질문을 하는 사람이 아니라 지시를 할 것인지, 질문을 할 것인지 혹은 이들 양극단 사이에서 상호 작용하는 방식을 선택할 것인지를 결정해야 한다. 다음은 팀원들에게 질문으로 리드한다.

질문을 주고받을 수 있는 모든 리더는 학습 욕구가 있고, 배움과 자기 계발에 능하며, 팀원들에게 자신의 부족한 점을 묻고 조언을 구하는 걸 망설이지 않는다. 리더가 궁금한 것을 묻는 순수한 태도를 가져야 솔직하고 유익한 답변을 끌어낼 수 있다. 마지막으로 조직의 미션, 비전, 핵심 가치와 부합되는 질문을 자주 한다. 이러한 질문의 예로는 조직의 목적 또는 사명을 떠올리는 질문, 조직의 이미지를 그려주는 질문, 조직의 가치를 되새기는 질문 등을 들 수 있다.[23]

무조건 질문을 하는 것이 중요한 것이 아니라 올바른 질문을 하는 것이 중요하다. 스피치의 달인, 소크라테스가 말한 질문의 힘은 다음과 같다.

· 질문은 생각을 자극한다.
· 질문은 동기 및 역할을 부여한다.
· 질문은 관계를 형성한다.
· 질문으로 설득한다.

---

23 송영수, 『리더가 답이다』, (크레듀, 2014), 199쪽.

포스트잇 개발자인 아서 프라이(Arthur Fry)는 부인이 성가 연습을 마치고 "책갈피에 종이를 붙여 두었다가 다른 페이지에 붙일 수 있는 방법이 없을까요?"라고 한 질문에 자극받아 포스트잇을 개발했다. 질문이 생각을 자극한 것이다.

질문은 때로 동기와 역할을 부여한다. 예를 들어 "당신의 커뮤니케이션 능력으로 이번 협상을 맡아 주시겠습니까?"라고 요청한다면 상대방은 동기와 역할을 부여받고 노력하게 된다. 좋은 질문은 상대방의 기를 살려주는 원동력이 된다.

생각해 보자. 질문은 어떤 사람에게 하게 되는가? 질문은 기본적으로 타인에 대한 관심을 동반한다. 상대방에게 아무런 관심이 없다면 질문거리도 찾기 어려워진다. 질문을 하면서 상대방에게 호감과 관심을 표시하고, 자신을 노출시키면서 새로운 관계를 형성할 수 있다.

마지막으로, 질문은 설득을 한다. 상대방은 내 질문에 답하기 위해 스스로 생각을 정리하게 된다. "거래 업체 선정 시 가장 중요하게 생각하는 요소는 무엇입니까?", "거래 가격을 정확히 비교해 제시한 기업이 있습니까?", "이만한 가격에 이러한 품질을 보장해 주는 기업을 보셨나요?" 이렇게 질문하고 답변하는 과정에서 자연스럽게 상대방을 설득할 수 있다.

소크라테스는 단순한 말의 기술이 아니라 상대 스스로 문제를 해결하도록 도와준다. 소크라테스의 메시지는 나의 주장을 펼치기 전에 부하 직원의 생각과 표현 등을 관찰하고, 질문을 던져, 부하직원 스스로 답을 찾도록 유도한다. 리더는 "질문에 답이 있다"는 소크라테스의 충고를 잊지 말아야 한다.

질문하기를 망설이거나 꺼려하는 사람이 있다. 왜 질문을 하지 못하는가? 먼저, 이들은 질문 자체를 두려워한다. 일상적인 대화를 나눌 때는 괜찮다가도 공식 또는 공식에 가까운 자리에 서게 되면 질문 자체를 창피하게 여긴다. 자신의 질문을 통해 무지와 허점이 들어날까 두려운 것이다. 또, 질문 자체를 중요하게 생각하지 않는다. 나 말고 다른 사람이 하겠지, 가만있으면 중간은 가겠지 하는 생각이다. 누군가가 설명하는 것을 듣고 그런가보다 하면 되지 자꾸 질문하면 문제가 되지 않겠냐는 생각도 있다. 질문, 특히 좋은 질문을 하려면 습관을 먼저 들여야 한다. 습관은 어느 날 갑자기 생기지 않는다. 단답형 대답이 나오는 질문이 아닌 깊이 있는 대답이 나오는 질문을 하려면 꾸준히 연습해야 한다.

평범한 리더는 부하들에게 친절하게 해답을 준다. 그러나 뛰어난 리더는 질문을 던진다. 부하들이 직접 해답을 찾는 과정이 해답 그 자체보다 더 중요하다는 사실을 잘 알고 있기 때문이다. 위대한 리더가 위대한 질문을 한다. 창의적 사고, 변화는 다름 아닌 리더의 위대한 질문에서 비롯된다. 질문이 두려운 조직에는 미래가 없다. 미국의 칼럼니스트인 데일 도튼(Dale Douten)은 하루 종일 단지 두 개의 질문만 가지고도 당신의 부서를 잘 운영할 수 있다고 충고한다. "좀더 나은 방법은 없겠습니까?", "이게 최선입니까?"

좋은 질문 VS 좋지 않은 질문

질문은 생각을 여는 출발점이다. 리더는 좋은 질문과 좋지 않은 질문을 구별하여 사용해야 한다. 올바르지 않은 질문은 일방적 지시보다 더 해로운 결과를 초래하기도 한다. 잘못된 질문의 함정을 들여다보면 먼저 폐쇄 단답형 질문이 있다. 질문은 자유로운 사고를 촉발하고, 생각을 미지의 영역으로 펼치기 위한 것이다. 그러나 사고의 확장을 오히려 막아버리는 질문이 있다. 이것이 폐쇄형 질문으로 단도직입적으로 결론을 내리고 답을 강요하는 질문, 단답형 질문, 또는 '무엇', '언제', '얼마나 많은'으로 시작되는 질문 등을 말한다. 다음은 유도 질문, 복합 질문이다. 특정 대답이 나오도록 강요하는 것이다. 리더는 질문을 할 때 궁금한 것을 묻기보다 자신의 의중을 부하에게 강요하려고 한다. "아무개 팀장이 문제라고 생각하지 않습니까?" 이러한 유도 질문은 질문자의 의중을 더 분명하게 표시하기 위해 복합 질문의 형태를 띤다. "아무개 팀장을 어떻게 생각합니까? 너무 독단적이지 않습니까?" 하는 것은 명령문에 가깝다. 마지막으로 심문형 질문이다. "어쩌다 이런 초보적인 실수를 했습니까?" 리더 앞에서 부하 직원은 이미 약자다. 힐난하는 투의 질문은 긍정적이고 개방적인 사고의 활성화는커녕, 직원을 공황 상태(panic)에 빠뜨린다. 따라서 최대한 친절하게 질문해야 한다.

좋은 질문에 대해 알아보자. 질문을 던지기 전에 먼저 묻고자 하는 핵심이 무엇인지 점검하고, 상대에게 질문하는 것이 옳은지 스스로 답을 찾는 게 나은지 판단한다. 질문은 구체적이고 본질적으로 한다. 좋은 질문은 구체적인 사례를 바탕으로 본질과 핵심을 꿰뚫어야 한다.

좋은 질문을 하려면 좋은 질문의 세 가지 요소를 갖춰야 한다. 첫 번째 요소는 구체성이다. 추상적으로 질문할 경우 상대방의 대답 역시 실체가 없는 허언에 그칠 가능성이 높다. 두 번째 요소는 간결성이다. 중언부언 질문 설명이 길어질 경우 상대방은 질문의 핵심을 파악하기 어려워

지므로 간결하게 질문해야 한다. 세 번째 요소는 중립성이다. 질문의 방향이 한쪽으로 치우칠 경우 상대방은 질문자의 의도대로 응답할 가능성이 높으므로 중립적으로 질문해야 한다.

질문을 하는 목적과 의도, 질문 구성 요소, 질문 방법을 알아야 좋은 질문, 성과 있는 질문, 필요한 질문을 할 수 있다. 좋은 질문을 하려면 분명한 의도를 갖고 있어야한다.

- 이 질문을 해서 정확히 내가 얻는 것이 무엇인가? 도움, 조언, 정보, 약속을 원하는가? 토의를 하고, 새로운 아이디어를 개발하고, 의견이나 입장을 끌어내려는 것인가? 동의를 구하거나, 어떤 행동, 생각이나 결정을 제안하기 위한 것인가?

- 누구에게 질문할 것인가? 잘 아는 사람, 전혀 모르는 사람, 상급자 혹은 부하 직원? 질문을 하기 적절한 시기나 상황은?

- 어떤 타이밍에 질문할 것인가? 크리스마스 파티에서 업무에 관련된 질문을 하거나 이사회에서 개인적인 질문을 하지 마라. 질문을 하기 위한 적절한 타이밍을 골라라.

- 이 질문이 어떤 영향을 미칠까? 이런 식으로 답하면 어떤 답변이 나올까? 구체적인 답변을 얻고 싶다면 구체적인 방식으로 질문하라.

〈사례〉 질문은 발명의 어머니

1943년, 에드윈 랜드(Edwin Land)는 어린 딸의 손을 잡고 해변을 거닐다가 사진을 찍었다. 빨리 사진을 보고 싶은 딸은 조바심을 내며 물었다. "아빠, 왜 사진을 바로 볼 수 없는 거죠?" 랜드는 딸의 순진한 질문을 듣고 사진을 찍은 후 몇 초 만에 볼 수 있는 폴라로이드(Polaroid) 카메라를 발명했다. 사실 모든 발명이나 발견은 질문이 사고(思考)를 자극한 결과라 해도 과언이 아니다.

〈사례〉 공습을 평화로 바꾼 질문

좋은 질문도 역량이 된다. '질문의 힘'의 사례[24]를 소개한다. 확실시 되던 미국의 시리아 공습이 평화 모드로 바뀌는 데는 여기자의 질문 하나가 큰 역할을 했다. 주인공은 CBS의 마거릿 브래넌(Margarret Brennan) 기자. 그녀는 기자 회견장에서 존 케리(John Forbes Kerry) 미국 국무장관에게 "시리아가 군사 공격을 피하려면 지금 당장 뭘 해야 하는가?"라고 물었다. "시리아 공습은 언제 할 것이냐"고 묻던 기자들과는 다른 관점에서 질문을 한 것이다.

이에 케리 미국 국무장관은 "시리아가 다음 주까지 모든 화학무기를 국제사회 앞에 내놓으면 된다"고 답했다(물론 그럴 것이라 예상치 않았지만). 결국, 러시아가 중재자로 나섰고 유엔은 최근 시리아의 화학 무기를 내년 6월까지 모두 폐기하기로 결정했다. 질문 하나가 미사일 소나기를 막은 셈이다. 이처럼 질문 하나가 갖는 힘은 대단하다. 리더의 질문은 더욱

---

24 『조선일보』, 2013.10.1.

그렇다. 리더가 어떤 질문을 하느냐에 따라 조직원들의 '생각 수준'이 달라지기 때문이다.

『질문리더십』(Leading with Question) 저자인 마이클 J 마퀴트 교수는 질문하는 리더의 대표적 인물로 미국 해군의 마이클 애브라 소프(Michael Abra Shoff) 함장을 소개한다.

애브라 소프 함장의 성공 비결은 부하들에게 던지는 네 가지 질문에 있다고 한다. 개별 면담에서 그는 부하들에게 "만족스러운 점은 무엇인가?", "불만 사항은 무엇인가?", "권한이 있다면 무엇을 고치고 싶은가?"라는 질문을 했고 부하들의 답변에서 도출된 문제점들을 즉시 시정했다. 그리고 "기존의 방식으로는 부족하다. 더 좋은 방법은 없는가?"라는 질문을 끊임없이 던져 부하들에게 더 나은 방법을 모색하면서 창의력을 자극했다. 이처럼 뛰어난 성공은 뛰어난 질문에서 시작된다. 뛰어난 질문은 본질적 사고에서 비롯된다.

질문하는 문화 만들기

우리는 가정에서 지도자의 역할을 담당할 때가 있다. 지도를 한다는 것은 격려하고 가르치는 일이다. 가장 효과적인 지도법 중 하나는 피드백을 이용하는 것이다. 즉 질문을 해서 상대방으로부터 정보를 얻어내는 것이다.

좋은 리더는 질문으로 조직을 변화시킨다. 리더는 조직 구성원의 질문을 귀담아 듣고, 당면한 문제가 무엇인지 파악해야 한다. 다른 사람이 내게 질문하는 것을 귀찮게 생각하지 마라. 권위적인 인물들이 흔히 질문자의 입을 막는 실수를 한다. "이 사람이 정말 하고 싶은 말이 무엇일까?", "우리가 잘못 알고 있는 것은 없는가?"라고 질문할 줄 알아야 한다.[25]

몸담고 있는 조직에 '질문하는 문화'를 확립해 보자. 설명하는 문화에서 질문하는 문화로 바뀌려면 위에서부터 변해야 한다. 관리자와 고위 간부들 스스로가 질문의 힘을 포함한 개방적인 대화의 힘을 믿고 달라져야 직원들 또한 변한다. 본보기를 보여야 한다. 모든 업무에서 질문하는 시간을 갖고, 질의응답을 위한 시간을 마련한다. 질문을 장려하고 싶다면 질문에 대한 보상 또한 고려해야 한다.

질문의 힘은 조직의 지도력으로 확대된다. 강력한 지도력으로 조직을 이끌고 싶다면 '조직의 수뇌부는 미래에 대한 분명한 비전을 갖고 있는 가?', '끊임없이 지도층을 개발하고 있는가?', '유능하고 응집력이 강한 팀을 갖고 있는가?', '조직 전체가 단합해서 효과적으로 대처할 수 있는가?' 라는 질문을 해 보여야한다.

(2) 요청의 힘을 활용하라

로버트 그린(Robert Greene)과 주스트 앨퍼스(Joost Elffers)는 공저인 『권력의 법칙(The 48 Laws of Power)』에서 '도움을 청할 때는 자비가 아니라 이익에 호소하라. 이익은 사람을 움직이는 지렛대다. 도움을 청할 때는 당신이 주었던 일을 이야기하지 말고 대신 당신을 도와줄

---

25 로널드 A. 하이패츠와 로널드 L. 로리, 『리더십의 작용』, 「하버드 비즈니스 리뷰」, 1997년 1월.

때 상대에게 이익이 되는 점을 강조한다. 그러면 상대가 귀를 기울일 것이다. 움직일 이유는 움직일 이익에서 나온다. 이익이 사람을 움직이게 한다'고 썼다.

기업전문가이자 경영학 박사인 김찬배는 그의 저서 『요청의 힘』에서 '성공은 내가 하는 것이 아니라 남이 시켜주는 것'이라고 했다. 원하는 것을 얻는 사람과 그렇지 못한 사람의 결정적 차이는 '요청할 수 있는가'에 있다. '성공은 내가 하는 것', '답은 내안에 있다'는 신념은 오히려 성공을 방해한다. 세상의 모든 사람이 나의 후원자라고 보고, 도움을 요청하는 사람이 오히려 성공한다. 타인에게 도움을 요청하면 혼자 할 때보다 더 큰 성공, 더 빠른 성공을 이룰 수 있다. 많이 요청할수록 기회를 더 많이 얻는다. 요청을 통해 절망을 희망으로, 부정을 긍정으로, 위기를 기회로 바꾼다. 리더는 요청을 할 줄 아는 사람이다. 요청하는 사람이 성공하고, 리더십은 요청으로 완결된다. 왜 요청하지 못하는가, 어떻게 요청할 것인가를 고민해야 한다.

요청이 운명을 바꾼다. 누구나 원하는 것이 있다. 하지만 원하는 것을 요청하는 사람은 많지 않다. 원하는 것을 얻기 위해서는 다른 사람에게 요청해야 한다. 도움을 요청한다는 것은 자신의 한계를 잘 알고 있다는 뜻이기도 하다. 한계를 알고 기꺼이 도움을 요청하는 사람은 제 때 필요한 도움을 받을 수 있고, 주변에 겸손한 사람으로 인식될 가능성이 높다. '요청은 남에게 폐를 끼치는 행위', '요청해도 안 될 것'이라는 선입견은 도움을 받을 타이밍을 놓쳐 실패하게 만든다.

의외로 사람들은 타인에게 도움을 청하지 않는다. 거절에 대한 두려움 때문이다. 학벌이 좋고 똑똑하다는 평가를 받는 사람일수록 더 요청하기를 꺼린다. 사람은 누구나 거절을 당하면서 성장한다. 한 번도 거절당하지 않고 성장할 수 있는 방법은 없다. 요청하면 성공한다. 사례를 들어본다.[26] 김영세 이노 디자인 대표는 미국 일리노이 대학교에서 공부하던 시절 디자인계 거장 빅터 파파넥(Victor Papanek) 교수의 특강을 들었다. 김 대표는 강의가 끝난 뒤 교수들만 참석하는 초청 만찬에 몰래 들어가 헤드 테이블에 앉았다. 파파넥 교수의 바로 옆자리를 차지하고 서툰 영어로 자신을 당당하게 소개한 뒤에 두 가지 요청을 했다. 그의 책을 한국어로 번역할 수 있게 해달라는 것과 한 학기만이라도 자신의 지도 교수 역할을 해달라는 것이다. 파파넥 교수는 흔쾌히 들어줬다. 김 대표는 이후 디자인계에서 크게 성장했다. 이게 바로 요청의 힘이다.

효과적으로 요청하라

어떻게 요청할 것인가. 요청의 성공률을 높이는 방법은 무엇일까. 요청은 문제를 더 빨리, 더 효과적으로 해결하는 길이며 더 큰 성공을 돕는 비결이다. 단, 준비 없이 '그냥 요청'하면 안 된다. 준비가 없으면 요청하는 것은 부탁이 된다. 알아서 도와주는 사람은 절대로 없다. 철저하게 준비해서 명확하게 요청해야 원하는 것을 얻을 수 있다. 세상은 준비해서 요청하는 자에게만 필요한 답을 준다.

요청의 성공률을 높이려면 ①열정적으로 요청하고, ②요청할 만한 사람에게 요청하고, ③진정성을 가지고 요청해야 하며, ④노력하는 모습을 보여주며 요청한다. ⑤끈기 있게 요청하고, ⑥상대가 들어줄 만한 환

---

26 한근태 한스컨설팅 대표, 『동아일보』, 2014.6.26.

경을 조성하고, ⑦기분 좋게 요청하며, ⑧분명하게 요청한다. ⑨먼저 주면서 요청하라. ⑩도움을 받은 후에도 계속 연락하라.

'도움을 준 사람이 더 많은 도움을 주고 싶어 한다'를 기억하라. 세계 최초로 온라인 비교 사이트를 만든 마이클 양(Michael Yang)은 195번의 거절을 당하고 196번의 요청 끝에 투자를 받아서 자신의 회사를 창업할 수 있었다. 요청이 운명을 바꾼다. 나의 요청을 거절할 수 없는 요청으로 만들자.

애플의 창업자, 스티브 잡스 역시 요청으로 성공한 사람이다. 그는 자신의 성공에 대해 이렇게 말했다. "난 도움이 필요할 때마다 도움을 요청했다. 사람들은 대부분 도움을 구하지 않는다. 그것이 큰 일을 성취하는 사람과 꿈꾸기만 하는 사람의 차이다."

거창하고 어려운 요청이 아니어도 좋다. 작은 요청부터 시작해 보라. 한두 번 시도해 보고 안 된다고 포기하면 아무것도 이룰 수 없다.

제 3 장

훌륭한
리더가 되는 길

사람은 누구나 살아가면서 리더와 팔로어 역할을 담당한다. 현재의 팔로어가 미래에는 리더가 된다. 따라서 언젠가 리더 직위에 올랐을 때 성공적으로 임무를 수행하려면 지금부터 미리 준비해야 한다. 올바른 가치관을 확립하고, 다양한 경험과 학습을 현장에서 쌓으면 리더가 되었을 때 더 효과적인 성과를 창출해낼 수 있다.

리더가 된다는 것은 자격증을 따는 것과 같이 단편적인 일이 아니다. 개인의 인격과 가치, 철학과 이념, 비전과 고뇌, 행위와 사고 등과 같은 다양한 요소들이 유기적으로 상호 작용하면서 형성되는 것이 리더십이다. 질문 몇 개에 정답을 찾아냈다고 해서 바로 리더가 되는 것이 아니다. 리더십은 지속적인 성장을 만들어내는 경영 실천 능력이다. 리더십은 부하들의 자발적인 추종을 전제로 한다. 다른 사람들이 존경과 기대를 가지고 나를 자발적으로 따라올 때, 나는 비로소 '리더'가 되는 것이다.

(1) 리더의 덕목

리더는 어떤 사람일까? 한 가지로 정의할 수 있을까? 과거에는 유능한 리더를 '조직원들이 자신의 능력을 충분히 발휘하여 더 나은 성과를 올리도록 하는 사람'으로 평가했다. 하지만 최근의 개념은 새롭고 다양하다. 좋은 리더란 조직의 성패를 좌우하는 결정적인 요소로 새로운 영역을 개발하고, 새로운 가능성을 보여주고, 기회를 만들어주는 사람, 약간 엉뚱한 사람, 왕따 같은 사람이고, 새로운 어떤 분야에서 돌파구를 만들고 몰두하는 사람이다.

리더십 전문가인 워렌 베니스는 '리더란 자신이 이끄는 집단에서 불신을 없애고 희망을 불어넣는 사람'이라고 했다. 그 희망이 실현될지 실현되지 않을지는 모르나, 진정한 리더는 아주 사소한 일도 뜻 깊은 일로 바꾸어 놓는다. 인간은 누구나 영적으로 빈곤한 존재이기에 일터에서뿐만 아니라 그 어디서든 의미를 찾고자 한다. 그래서 우리는 우리에게 꿈을 보여주는 리더에게 그토록 열광하는 것이다. 리더는 부드러움과 무서움(카리스마)을 동시에 지녀야 한다. 정해진 미래든 만들어 갈 미래든, 그 미래가 이 암울한 현재보다 반드시 밝을 것이라는 확신을 심어주어야 한다.

리더란 어떤 인물일까? 리더는 역량과 열정을 끌어내면서 동시에 책임지는 사람이다. 리더는 최고의 이야기꾼이어야 한다. 이야기 능력은 흩어져 있는 요인을 함께 엮어 텍스트를 만들고 여기에 감성적인 임팩트를 제공하는 능력이다. 리더란 사람들의 마음을 움직여 조직의 비전과 목표를 성과 있게 달성하도록 만드는 사람이다. 사람들의 마음을 움직일 줄 알아야 하고, 타인들로부터 호감을 얻어야 한다. 리더는 대중의 다양한 욕구를 기꺼이 품어서 하나의 공동체로 엮어낼 줄 안다. 리더는 다투는 것이 아니라 합의를 이끌어내는 사람이다. 현실이 바닥이더라도 1%의 가능성을 찾아 99%로 만드는 것이 리더다. 리더는 구성원들을 끌고 가지 않고, 함께 간다.

성실하게 열심히 일하는 것은 중요하다. 그러나 성실하고 부지런한 것만으로는 이 시대의 경쟁에서 살아남을 수 없다. 정직성과 성실성을 바탕으로, 훌륭한 리더가 되려면 상황을 다른 사람의 관점에서 볼 수 있는 능력, 함께 일하고 더불어 살아가는 것, 공감대 확산, 동참 유도, 신뢰 구축 등을 할 줄 알아야 한다.

리더가 갖추어야 할 덕목은 시대 상황이나 조직이 처한 입장에 따라 달라질 수 있다. 혼란기에는 강력하고 카리스마 있는 리더가, 태평성대에는 온화한 리더가 어울리고 성과도 높다.

리더에게 요구되는 덕목은 무엇일까? 우리나라 리더십의 현주소를 들여다보면, 리더들이 과연 지도자로서 필요한 자질과 인품을 갖추었는지 의문을 품게 한다. 부정, 부패, 부조리가 일상이 되어버렸다. 그 근본 원인은 정직하지 못한 데서 출발한다. 윤리성과 도덕성이 결여되어 있기 때문이다. 또한 정치 및 공무원 리더들이 국민의 안전과 번영에 대한 생각을 깊게 하지 않기 때문에, 애국심과 국민을 위한 공복으로서 공인 의식이 부족하다. 아울러 자신이 한 일에 대한 책임을 지려 하지 않는다. 업무를 추진하는 데 필요한 직무 전문성이 떨어지고, 정권이 바뀌거나 조직의 기관장이 교체되면 정책 업무의 일관성과 지속성이 결여되어 업무에 혼선을 초래하거나, 업무의 질이 떨어지기도 한다. 이렇게 볼 때 리더가 우선적이고 필수적으로 갖추어야 할 덕목은 윤리성, 공인 의식, 책임감, 전문성과 지속성이라 할 수 있다. 이것을 하나하나 짚어보자.

① 윤리성

윤리란 '사람이 마땅히 행하거나 지켜야 할 도리, 곧 실제의 도덕규범이 되는 원리'라고 한다. 윤리는 인류의 안녕을 이해하고 달성하는 일과 직결되며, 특히 그것은 타인과의 관계적 측면에서 중요하다. 윤리적 행동의 궁극적인 목표는 아리스토텔레스(Aristoteles)가 말한 '만인을 위한 공동선(The common good of all)'[27]이다. 리더의 최고 덕목은 '윤리'다. 청렴하면서도 능력 있는 사람을 양성하고 발탁해야 한다. 개인 및 조직의 윤리 의식이 건강한 조직을 만드는 기초다. 기업 리더가 솔선수범해서 윤리 경영을 해야 기업 가치가 올라가고 성장 촉매제 역할을 하게 된다. 윤리적 리더십이란 윤리적으로 적절한 행동 양식을 자신의 행동과 다른 사람의 관계를 통해 부하들이 행동하도록 촉진시키는 것을 말한다. 모든 상황에서 항상 정직하게 행동하는 모습을 보이고, 공통의 목표를 위하여 부하들도 정직하게 행동하도록 촉구해야 한다. 우리는 장밋빛 비전과 화려한 화술로 대중적 인기를 한 몸에 받던 사회 각 분야의 저명한 리더들이 어느 날 갑자기 부정과 비리, 위선으로 추락하는 모습을 종종 보아왔다. 이럴 때 우리는 말할 수 없는 절망과 허탈감, 배신감을 느낀다. 최근 우리에게 전해진 국내외 대기업들의 회계 부정, 정치인들의 검은 돈 거래 등의 뉴스는 리더의 윤리성 결여가 사회에 악영향을 미치는 모습을 여실히 보여준다. 리더는 직무 현장에서 정직하고 성실하게 일하고 신뢰를 쌓아가는 직장인이 되어야한다. 앞으로 윤리 경영은 기업이 더 큰 이익을 내는 지름길이 될 것이다. 이러한 추세를 미리 파악

---

27 존 c, 냅(안진환 외 옮김), 『미래 리더십 코드』, (비즈니스 맵, 2007), 13쪽.

하고 능력을 갖추는 기업이 미래를 지배할 것이다.

② 공익성

리더란 무엇보다도 확실한 공익성이라는 의식이 있어야 한다. 공공 부문 리더들과 일반 부문 리더들은 자기 헌신과 열정을 통해 국민의 신뢰를 받을 수 있도록 공익성을 갖추어야 한다. 특히나 공공 조직은 공익성과 수익성을 적절하고 균형 있게 관리해야 한다.

모든 경제 활동을 하는 기업이나 집단은 영리와 이익을 우선하여 전력(全力)을 기울이는 반면, 공공 기관은 국민의 안전과 재산 보호에 행정 역량을 집중한다. 이처럼 공무원의 존재 이유는 공공선의 철학을 실천하여 공공성을 유지하는 데 있다. 국민의 안전과 재산 보호를 위해 노력하고 사회 공공질서를 유지하여 국민이 행복한 삶을 누리게 하는 것이다.

공인 의식이란 공직자로서 품위를 지키고 국민에게 봉사하겠다는 사명감을 말한다. 조직의 리더들은 공인으로서 사익보다 공익을 먼저 생각하며 조직을 관리해야 한다. 선거직에 있는 사람들은 선거철이 되면 자신의 국정 수행 능력이나 소통 능력을 자랑하며 온갖 선심성 공약을 내놓는다. 그러나 공인 의식이 뒷받침되지 않은 능력이나 정책은 사상누각이 될 수밖에 없다. 국민보다 가족의 인연이나 이념적 진영 논리를 앞세우는 후보는 공인 의식이 결여된 사람들이다. 엘리트 계층이 그들만이 특권을 굳힐 때 법치주의와 애국심이 파괴된다. 우리나라는 '반칙 없는 공정한 사회'를 만들도록 법치(法治)가 이루어질 때 미래에 대한 희망을 가질 수 있다.

③ 책임감

  책임은 '맡아서 해야 할 임무나 의무'이며, 의무는 '법률상의 구속력, 자기의사에 관계없이 반드시 일정한 행위를 해야 할, 또는 하여서는 아니 될 법률상의 구속력'을 말한다. 따라서 책임감이란 '맡아서 해야 할 임무나 의무를 중히 여기는 마음'을 의미한다. 책임 있는 행동이 필요하다. 리더가 앞에 나서기를 주저하고 문제가 생겼을 때 책임 회피에 급급하면 구성원들은 절망한다. 먼저 책임지는 자세를 보여야 한다. 책임 소재가 명확할 때 사고나 문제 발생을 줄일 수 있다. 그래야 사고가 줄어들고 분란이 생기지 않는다. 진정한 책임감이란 시키지 않아도 자발적이고 적극적인 자세로 주어진 상황을 해결해 나가는 자세. 리더가 책임감을 가져야 하는 이유는 무엇일까? 리더가 책임지는 모습을 보이지 않는다면, 구성원들은 실패가 두려워 최선의 노력이나 최대한의 역량 발휘를 하지 않을 것이다.

  그로 인하여 부정적인 결과가 생길 수 있다. 리더는 책임질 때 '맨 앞'에, 칭찬받을 땐 '맨 뒤'에 있어야 한다. 2014년 세월호 해상 사고에서 선장의 책임감이 있었더라면, 그렇게 많은 인명 피해는 발생하지 않았을 것이다. 자기만 살겠다는 무책임한 사고방식은 우리사회에서 반드시 추방되어야 한다. 우리들은 모든 직종에서 책임감 있는 리더를 보고 싶어 한다. 특히 군대에서는 무엇보다 충성심과 함께 장교들의 책임감이 매우 중요하다.

  환경과 조건을 탓하지 않고 주인 의식을 바탕으로 주도적으로 문제를 발견하고 해결함으로써, 자신의 영향력을 스스로 키워나가는 것이 책임의 뜻이다. 자기가 수행하고 있는 직책에서 업무를 추진할 때는 소신을 갖고 추진하고, 그 결과에 책임을 져야한다.

④ 전문성

전문성이란 특정 전문 분야의 문제를 해결하는 데 있어 지식, 경험, 그리고 역량 측면에서 지속적인 인정을 받는 능력을 말한다. 직종에 상관없이 리더는 소속된 조직에서 수행하고 있는 직무에 대한 전문성이 있어야 한다. 만약 부족하거나 전문성이 떨어진다면 부단하게 공부를 해야 하고, 아울러 전문가 집단의 조언과 자문을 통해 부족한 부분을 채워 임무를 성공적으로 수행하여 성과를 창출할 수 있어야 한다. 군대나 기업은 지속적이고 체계적인 교육 훈련으로 전문성 함양에 많은 노력을 기울이고 있다. 반면에 정당인이나 공무원들은 전문성을 기르기 위한 교육시스템이 만족스럽지 못하고 수준도 저조하다. 그 결과, 사회 변화를 따라잡는 법률 제정이 늦고, 사회 갈등을 해결하지 못하고 유야무야 하다가, 사회적인 대형 사건사고가 발생하면 책임 회피에만 전념하는 모습을 보인다. 이는 문제를 해결 할 수 있는 능력이 미흡하고 업무 수행에 대한 사명감과 책임감, 전문성 결여에 기인한다.

최근에는 팀제를 운영하는 기업이 많다. 어느 팀에 한 번 속하면 대개 10년, 20년 정도의 시간을 보내게 된다. 팀장 후보는 여러 명 있는데 업무에 대한 전문성이 떨어져 임원 후보자가 없고, CEO 후보는 더더욱 찾기 힘들다고 한다. 다양한 경영 관리 분야의 전문성을 갖추는 균형 감각이 필요하다. 과거에는 한 분야의 전문가가 인정을 받았다면, 최근에는 전문성이 다양한 멀티형 전문가가 필요한 시대다.

⑤ 지속성

조직의 업무에 대한 일관성과 지속성은 조직 발전을 위한 바탕이 된다. 지속성이란 '어떤 상태를 오래 계속하는 성질'이다. 조직 업무는 일관성과 지속성이 있을 때 발전이 가능하다. 조직에서의 지속성이란 시장 환경이나, 경제 환경, 환경 자원의 변화에도 불구하고 조직의 기능을 수행하고 존재할 수 있는 상태를 의미한다. 이러한 지속 가능성을 갖추기 위해서는 다른 조직과 차별적인 경쟁 우위를 소유하고 점하도록 변해야 한다.

'88 서울 올림픽' 유치와 진행에 깊이 관여한 모(謀) 재벌 회장은 88 서울 올림픽을 성공적으로 치른 비결에 대해 '일관성'덕분이라고 말했다. 당시 우리나라는 변변한 국제 행사 한 번 치른 경험이 없었다. 그러한 나라에서 올림픽 유치 직후 열린 회의에 중앙 정부 공무원, 서울시 공무원과 경기 단체 체육인 등이 참석했다. 초보들의 집합소였다. 그 회의를 주관한 정부 측 인사가 "지금부터 여기 있는 사람은 올림픽 개회 때까지 인사동결(凍結)"이라고 말하였다. '할 수 있다'는 정신이 결실로 이어지려면 일관성을 유지해야 한다는 관리 기법을 적용한 것이다.

정책의 일관성과 업무의 지속성이 결여된다면 조직의 발전은 한계에 이르고 퇴보할 수밖에 없다. 우리는 정권이 바뀌고, 조직의 기관장이 바뀌면 전임자가 쌓아놓은 업적들은 무시되고 새롭게 시작하는 풍토와 우왕좌왕하는 모습에서 후진국의 행태를 느낀다. 좋은 점은 계승하고 문제가 있는 부분만 개선이 되어야 함에도 전임자가 이뤄놓은 것은 무조건 바꿔버리는 풍토에서 발전을 기대하기란 무리다. 전임자가 달성한 성과를 무시하고 새롭게 하는 것이 잘하는 것인 줄 착각하는 리더가 많다. 큰 결함이 아닐 수 없다. 좋은 전통을 계승하는 조직 문화가 자리 잡아야 한다. 우리나라 전 직종의 리더들이 고민해 보고 관심을 가져야 할 사항이다. 그래야 지금까지 발전시킨 토대 위에서 업그레이드된 조직을 만들 수 있기 때문이다.

(2) 리더의 역할

리더의 역할은 조직의 성패를 결정하는데 크게 기여한다. 리더의 역할에 대해 살펴본다.

첫째, 리더란 희망을 주는 사람이다. 아무리 깊고 험한 절망의 계곡에서도 작은 씨앗만 한 희망만 있으면 담쟁이 넝쿨처럼 자라 절망의 계곡을 뒤덮는다. 희망은 힘이다. 어렵고 힘든 때일수록 문제 해결과 극복을 위해 끊임없이 동기를 부여하고, 미래에 대한 희망을 심어주어야 한다. 우리 모두가 서로에게 '희망을 파는, 주는 리더'가 된다면 우리의 미래는 대단히 밝을 것이다.

둘째, 리더는 불가능을 가능하게 만드는 사람이다. 모두가 답이 없다고 할 때 리더는 남다른 아이디어로 해법을 제시해야 한다. 남다른 생각, 발상의 전환으로 답안을 제시하는 사람이 리더다. 불가능 앞에 선 인간의 극복 의지가 여러 분야, 여러 사람을 통해서 세상을 발전시켜 왔다. 과학, 의료 기술, 제약 기술, IT 등 인간 기술의 발달은 불가능의 벽을 꾸준히 허물고 있다.

셋째, 리더는 책임을 질 줄 알아야 한다. 책임과 권위는 동전의 양면과 같다. 권위가 없는 책임이란 있을 수 없으며, 책임이 따르지 않는 권위도 있을 수 없다. 사람들을 이끌어 나간다는 것은 책임을 진다는 뜻이다. 그것은 또 부하를 감싸는 마음과도 통한다. 자신의 책임을 타인에게 전가하는 리더는 구성원들의 경멸의 대상이 된다.

넷째, 리더는 성과를 창출하는 사람이다. 리더의 가장 중요한 역할은 지속적인 성장을 위해 변화와 혁신을 주도하고, 그 결과에 대하여 책임을 지는 것이다. 올바른 수단과 방법으로 올바른 목표를 달성하는 사람이다. 미국의 경영학자 피터 드러커는 "유능한 리더는 사랑 받고 칭찬 받는 사람이 아니다. 따르는 이들이 일을 잘할 수 있도록 도와주는 사람이다. 리더십은 인기가 아니라 성과다."라고 말했다.

다섯째, 리더는 조직 구성원들의 다양한 이해관계와 갈등의 조정자 역할을 담당한다. 모든 조직은 내·외부적인 갈등 구조를 내포한다. 이러한 문제를 해결해야 능률이 오르고 조직이 화합한다.

여섯째, 리더는 솔선수범하는 사람이다. 솔선수범은 몸소 다른 사람의 본보기가 됨을 뜻한다. 그러나 리더의 솔선수범이 눈요기나 가식이 되지 않기 위해서는 그 안에 희생이 담겨 있어야 한다. 그래야 부하들을 감동시키고 스스로 움직이게 만든다.

자신을 희생하는 것이야말로 진정한 솔선수범이자 리더십이다. 인디언 추장의 이야기를 감명 깊게 읽었다. "추장님, 당신의 특권은 무엇인가요?" 그러자 추장이 거침없이 대답했다. "전쟁이 일어났을 때 가장 앞에 서는 것." 이것이 바로 솔선수범이다. 필자가 군 생활 내내 가슴에 품은 프러시아 군대 격언을 소개한다. '지휘관이 부대를 지휘함에 있어 먼저 솔선수범해야 하고, 그 다음에는 설득해야 하며, 그게 안 되면 강요해야 한다. 그 순서는 바뀌어서도 안 되고, 단계를 생략해서도 안 된다.' 이처럼 솔선수범이야말로 리더가 반드시 갖춰야 할 덕목이다.

일곱째, 리더는 방향을 설정하고, 끌어가는 사람이다. 방향 설정이란, 우리 조직이 진정으로 전달하고자 하는 것과 이해 당사자들이 진정으로 얻고자 하는 것을 연결하는 길을 말한다. 설정된 방향으로 지속적으로 나아가려면 리더로서 자신이 원하는 성과에 맞춰 구조와 시스템을 정렬할 필요가 있다.

2절   진정성 있는 리더가 훌륭한 리더다

진정한 리더는 편향되어서는 안 된다. 일반적인 사고방식을 갖춘 사람, 상식적인 사람, 균형 감각을 가진 사람이 리더로 적합하다. 리더가 합리적인 태도로 정도(正道)를 걸을 때, 조직을 통합해 업무를 추진하고 성과를 창출할 수 있다.

진정한 리더란 어떤 사람을 말하는가? 게리 맥킨토시(Gary L. McIntosh), 사무엘 리마(Samuel Lima)는 공저인 『극복해야 할 리더십의 그림자』에서 리더를 이렇게 표현한다. '리더는 단지 효율적으로 일을 처리하는 사람이 아니다. 리더는 올바른 일을 하는 사람이다. 리더는 목표 달성을 위해 수단과 방법을 가리지 않는 게 아니라, 올바른 가치관에 따라 움직이는 사람이다.'

그렇다면 사람의 마음을 움직이는 요령과 진정한 리더가 되기 위한 상(像)에 대해 알아보자.

(1) 사람의 마음을 움직이는 요인들

왜 사람들은 훌륭한 리더를 따르는가? 사람들은 자신의 이익을 위해 다른 사람에게 복종한다. 그러나 이익을 위한 충성은 결코 이상적인 리더와 추종자간의 그림이 아니다. 사람들은 리더가 올바른 일을 하고 있다고 확신할 때 추종한다. 어느 분야에서나 리더가 갖추어야 할 조건은 통찰력과 판단력, 도덕성, 추진력, 통합과 조정 능력이다. 일반적으로 서양에서는 '능력'과 '재능'을 강조하는 반면, 동양에서는 '덕'과 '인품'을 중시한다.

진짜 리더는 마음을 움직인다. 21세기는 힘이나 권위, 원칙 등을 리더십 본질로 내세우기보다는 문제 해결과 변화에 대처하기 위해 온몸으로 부딪치는 리더를 원한다. 리더는 다른 사람의 마음을 움직이는 데 힘을 쏟아야 한다. 사람은 감정의 동물이다. 이성적인 동기 부여보다는 감성적인 동기 부여가 더 큰 힘을 발휘한다. 리더는 사람들에게 무엇을 하라고 이르지 않고 그들 스스로 자신의 길을 찾아낼 수 있도록 도와준다. 그들이 가지고 있는 창의성, 재능, 가능성을 계발하고 발휘하도록 여건을 조성해 준다. 상대방을 교정하려 들지 말고 각자가 성장할 수 있는 환경, 자원, 기회를 제공하기 위해 노력해야 한다.

사람의 마음을 움직일 수 있다면, 그런 능력을 가질 수 있다면 얼마나 좋을까하고 생각하곤 했다. 그러나 사람의 마음을 움직이는 것은 쉬운 일이 아니었다. 필자는 이를 위해 책도 찾아 읽고 공부도 하였으나 성공보다는 실패를 더 많이 맛보았다. 인간의 본성과 기본심리를 공부하고, 성경이나 논어 그리고 삼국지나 손자병법 등에서 인간관계를 배우려고 노력했으나, 노력한 것만큼 성과를 내지는 못했다. 그만큼 인간의 마음을 얻고 움직이는 것은 어렵다. 그래도 지금까지 실패를 거듭하면서 얻은 소중한 경험을 바탕으로 다음과 같이 정리해 보았다.

1. 인격과 인품이 사람들을 따르게 만든다.
2. 지극정성이 마음을 움직인다.
3. 섬기는 마음이 모든 사람의 마음을 이끈다.
4. 역량을 키워 영향력을 발휘한다.

5. 공포와 이익, 당근과 채찍 등 이해관계를 활용한다.
6. 상대방이 원하는 것을 찾아 채워준다.
7. 일을 함께하며, 기쁨을 공유하고, 지혜를 발휘하라.
8. 사람을 움직이는 이익, 재미, 관계, 습관을 활용하라.
9. give and take 원리를 사용한다.

첫째, 인격과 품성을 갖춘 사람이 되어야 한다. 사람들은 인품과 덕망을 가진 사람을 존경하고 따른다.

둘째, 지극정성이 사람의 마음을 움직인다. '지성(至誠)이면 감천(感天)'이란 말처럼 지극정성을 다하여 사람을 대하면 상대방의 마음을 움직일 수 있다고 확신한다.

셋째, 섬기는 마음이 모든 사람의 마음을 움직이고 이끌 수 있다. 먼저 자세를 낮추고 진심으로 부하를 섬기는 모습을 보인다면 부하들의 마음을 움직일 수 있다.

넷째, 개인의 역량을 키워 능력을 보여주면 영향력을 발휘하여 사람의 마음을 움직일 수 있다.

다섯째, 공포와 이익, 당근과 채찍 등 이해관계를 활용하면 사람의 마음을 움직일 수 있다. 손자병법을 두 글자로 요약한다면 이(利)와 해(害)

를 꼽을 수 있다. 어떤 행동이 본인에게 이롭고, 해로운지를 인식시키는 방법이다.

여섯째, 상대방이 원하는 것을 찾아 채워준다면 마음을 움직일 수 있다. 상대방이 가려운 곳이나 필요한 사항이 무엇인지를 알아서 해결해 준다면 마음을 움직일 수 있다.

일곱째, 일을 함께하며, 기쁨을 공유하고, 지혜를 발휘하면 마음을 움직일 수 있다. 동고동락하고 골육지정으로 부하를 대한다면 그들은 스스로 따라올 것이다.

여덟째, 사람을 움직이는 이익, 재미, 관계, 습관을 활용한다. 이익과 재미와 긍정적이고 좋은 인간관계를 활용한다면 또한 사람의 마음을 움직일 수 있다.

아홉째, 인간관계의 기본 원리인 주고받는 관계를 사용하면 마음을 움직일 수 있다.

이러한 내용을 바탕으로 사람들의 마음을 움직였던 사례를 소개한다.

〈사례〉 존중과 소통의 결과

필자가 대대장으로 부임 후 첫 회식으로 예하 중대 선임 부사관들을 부부동반으로 대대장 관사에 초청하여 저녁 식사 자리를 마련했다. 그 당시 부사관들은 동일한 능력을 갖고도 지휘관을 누구를 만나느냐에 따라 무능해지기도 하고, 유능해지기도 했다. 그 이유는 부사관들의 능력을 인정해 주지 않고, 하찮은 임무나 부여하고, 인격적으로 대접하지 않는 지휘관이 있기 때문이었다. 대화를 나누다 보니 그들이 내게 바라는 것은 간단했다. 월급을 올려달라는 것도 아니었고 단지 인간적인 대우, 인격적인 대접,

그리고 능력과 역할을 인정해 주기를 희망했다. 필자는 그렇게 하겠다고 약속하면서 당부의 말도 했다.

"이 부대의 전통을 만들고 계승하는 것과, 최고의 전투력을 만드는 것은 여러분들의 임무이자 사명으로 대대장과 함께 만들어갑시다."

대대장실의 문턱이 낮아지자 부사관들은 수시로 찾아와 현안 문제들을 직접 의논, 조치했고 조직 내 소통이 원활해졌다.

당시 사단에서는 분기단위로 대대장급 이상 지휘관 회의가 있었는데 사단에서 각종 전투력을 측정하여 그 결과로 포상하기로 했다. 사격 측정, 무사고 부대, 군수 지원, 보안 검열 등이 있었다. 이때 부사관들이 주축이 되어 병사들을 사전 점검하고 지도 보완했으며, 미흡할 때는 휴일도 반납하고 재점검하는 등 열정적으로 전투력 검열이나 측정에 대비했고 전투 훈련도 반복해서 시켰다. 덕분에 우리 대대는 우수한 평가를 받았고 부대원들의 전투력 향상은 물론 자신감과 사기와 의욕까지 충만해졌다. 전적으로 부사관들의 적극적이고 열정적인 근무 협조 덕분이었다. 지금도 당시 부사관들에게 진심으로 감사하고 있다. 이는 필자가 먼저 그들을 인간적으로 대우하고, 인격적으로 존중하며, 원활한 의사소통으로 그들의 마음을 움직인 결과였다고 생각한다.

〈사례〉 철책선 GOP 연대의 수송부 이야기

필자가 비무장지대 철책선 GOP 부대 연대장을 하던 시절의 수송부 이야기다. 당시 근무하던 지역은 대성산과 적근산이 있어 지형이 험악하고 도로 상태가 좋지 않아, 차량 사고가 났다 하면 대형 사고이자 인명 사고로 연결되어 무척 위험했다.

당시 GOP 부대인지라 작전 통제 부대까지 포함하면 병력은 5,000여 명에 이르고, 1일 운행 차량이 50~70여 대에 달했다. 도로에 항상 사고 위험이 도사리고 있어 도로상태 관리와 매일 운행해야 하는 운전병, 밤늦게까지 차량을 정비해야 하는 정비병에게 특히 관심을 기울였다.

언제 사고가 날지 몰라 불안에 떨며 운전해야 하는 운전병들의 마음을 다독이기 위해 이벤트성 행사를 많이 열었다. 운전병의 날에는 연대장이 직접 참석하여 자리를 함께하고, 그들을 위로하고 격려했다. 그러면서 당시에, 연말에만 전방을 위문하던 관습을 깨고, 군종 장교와 협의하여 연중 지속적으로 위문하도록 하되, 금전은 받지 않고 위문품으로 받았다. 그 물품 중에는 철책선 부대에 필요한 탁구대, 기타, 소프트볼 세트, 족구공 등도 있었지만 필자는 특별히 수송부에 필요한 물품들부터 챙겼다.

지금은 웃긴 얘기일지 모르나 그 당시만 해도 수송부에 보급품 지원 상태가 원활하지 못해 애로 사항이 많았다. 위문품으로 가져온 니베아 핸드크림, 보온밥통, 보온물통, 정비복, 정비 장갑 등 병사들에게 꼭 필요한 물품 위주로 물품을 획득, 보충함으로써 야간 운행을 하고 돌아온 운전병도 따뜻한 밥과 뜨거운 물을 먹고 마실 수 있게 했다. 수송부 정비병들은 작업을 하다 보면 손이 트기 일쑤였는데 그럴 때 니베아 핸드크림을 발라주며 그들의 지친 마음 또한 어루만져 주었다. 취침 시간은 밤 10시였는데, 차량 정비를 하다 보면 더 늦게까지 작업하느라 고생하는 경우도 생겼다. 필자는 야간까지 고생하는 정비병들을 위해 라면을 휴대하고 수송부로 찾아가 정비 중인 병사들과 함께 라면을 끓여 먹으면서 기름때가 묻은 손을 꼭 잡아주고, 위로해 주었다. 여러분들이 밤늦게까지 하는 이 고생이 차량 사고를 예방하는 1등 공신이며, 여러분들이야말로 진정한 애국자라고 격려하면서 장병들과 가까이 생활했고, 지휘관과 병사들은 한 마음이 될 수 있었다. 이러한 필자의 노력에 수송부 장병들은 '무사고'란 모습으로 보답해 주었다. 정비병들은 혼신의 힘을 다해 차량을 정비해 주었고, 운전병들은 안전하게 운전을 해서 사고를 예방할 수 있었다.

연대장 직책을 마치고 부대별 고별 방문을 하면서 수송부에 들렸을 때 도로변에 피켓을 들고 나와 '연대장님 수고하셨습니다. 감사합니다.' '연대장님 고맙습니다. 빨리 4성 장군 되십시오' 하면서 피켓을 들고 흔들던 모습이 지금도 눈에 선하다. 오늘의 내가 있을 수 있었던 것은 바로 이런 부하들 덕분이라 생각하고 그 사람들에게 진심으로 감사를 드린다. 지금은 큰 교회의 담임 목사이신 당시 군종 장교, 후원을 아끼지 않은 수많은 교회들, 수송부 장병들께 진심으로 감사의 뜻을 전한다.

리더가 사심 없이 지극정성으로 부하들을 위해 헌신하는 모습을 피부로 느낄 때, 부하들 또한 리더를 믿고 어떤 형태로든 보답하려고 노력한다. 부하들의 마음을 움직이는 리더가 진정한 리더다.

(2) 훌륭한 리더상

세월과 무관하게 시대가 요구하고 존경하는 바람직한 리더의 모습은 무엇일까? 진실하고 겸손하며, 깊이가 있으면서도 현실과 조화하고, 엄격하지만 다정하고, 품격이 있으면서 상대방을 편안하게 해주는 사람이 아닐까? 존경받는 리더가 되는 조건은 열린 마음, 대가 없는 사회 지원, 행동을 수반하는 사회 봉사, 이름만 남긴다는 청렴한 자세 등이 있다.

훌륭한 리더상

1. 비전과 희망을 주어야 한다.
2. 철학, 가치관, 신념을 가져야 한다.
3. 훌륭한 인격과 인품을 갖춰야 한다.
4. 신뢰를 주어야 한다.
5. 인간관계의 달인이 되어야 한다.
6. 창의적으로 문제를 해결한다.
7. 탁월한 식견과 경륜, 통찰력으로 지도한다.
8. 열정과 도전 정신, 추진력을 지닌다.
9. 변화를 읽고 흐름을 관리한다.
10. 상대방과 소통하고, 설득하고, 경청한다.
11. 정보의 중요성을 안다.
12. 마음의 여유와 유머 감각이 있다.

훌륭하고 존경받는 리더의 모습을 말하면 다음과 같다.

첫째, 리더는 비전과 희망을 주어야 한다. 리더는 미래를 통찰하고, 오늘뿐 아니라 내일과 다음 세대를 위한 목표와 계획을 세워야 한다. 그리고 모든 사람들이 이 목표를 향해서 단합하여 한 마음 한 뜻이 되어 힘차게 걸어갈 수 있도록 아름다운 꿈과 희망을 심어주는 비전을 제시할 줄 알아야 한다.

둘째, 리더는 철학, 가치관, 신념을 가져야 한다. 확고한 철학과 올바른 가치관, 확고부동한 신념이 없다면 어떤 원칙에 굳건히 서지 못하고 주위 환경의 지배를 받으며 부평초 같이 바람이 부는 대로 떠다닐 것이다. 확고한 신념과 투지를 가진 리더는 원칙에 굳건히 서서 주위 사정이 아무리 어렵다고 해도 이를 극복하려는 용기와 힘을 가지고 올바른 방향을 향해서 소신 있게 전진할 것이다. 확고한 신념을 가지고 있는 리더는 우리가 신뢰하고 따를 수 있는 사람이다. 사람들이 따르지 않는 리더는 리더의 자격을 잃은 것과 다름없다.

셋째, 인격과 인품을 갖춘 도덕적인 리더여야 한다. 말은 곧 인격이다. 조직원들에게 함부로 말하는 것은 곧 자신의 부족한 인품을 드러내는 것과 같다. 또한 상대방을 이해하고 진심으로 배려할 줄 알아야 한다. 리더는 자신도 모르게 주위 사람들에게 크고 작은 영향을 미친다. 그러니 금전 관계, 부정, 부패, 부조리 문제, 도덕적인 문제에 흠이 없도록 높은 덕망을 소유한 인격자여야 한다.

넷째, 리더는 신뢰를 주어야 한다. 조직원들이 자신을 믿고 따라올 수 있도록 행동하고, 조직의 성과에 책임을 져야 한다.

다섯째, 리더는 인간관계의 달인이 되어야 한다. 모난 사람, 뾰족한 사람은 구설수에 휘말리기 쉽다. 반대로 인간관계가 좋으면 어려운 상황에서도 주변의 도움을 받아 문제를 해결할 수 있다.

여섯째, 풍부한 상상력으로 창의적인 문제 해결 능력을 가져야 한다. 일상적인 패턴에서 벗어나 남들과 다르게 문제를 생각하고, 해결책을 발견하는 능력이 조직의 성과를 만든다.

일곱째, 리더는 수신(修身)과 제가(齊家)로 남을 이끌어야 한다. 자신이 속한 조직이나 그룹을 위해 소통 기술, 관계 관리, 리더십, 동기 부여 능력을 사용하고 탁월한 식견과 경륜, 통찰력을 갖추어 구성원들을 지도한다.

여덟째, 리더는 열정과 창의력, 도전 정신, 추진력을 지닌다. 이때 리더가 가진 용기와 소신은 추진력에 힘을 더해준다.

아홉째, 변화를 읽고, 위험을 관리해야 한다. 리더는 시대 흐름을 조직 운영에 민감하게 반영할 줄 알아야 한다.

열째, 리더는 상대방과 소통하고, 설득하고, 경청할 줄 알아야 한다. 조직 구성원들의 마음의 문을 열어주는 커뮤니케이터가 되어야 한다. 상대방 의견을 경청한 뒤에는 반영할 것은 반영하고, 고칠 점은 고친다.

열한째, 리더는 응당 정보의 중요성을 안다. 정보력이 역량이요 영향력이며 힘이다. 정보의 중요성을 인식하고 정보 네트워크를 가져야 한다.

열두째, 리더는 마음에 여유가 있고, 유머 감각을 지닌다. 마음의 여유는 성급한 결정으로 조직 경영을 위험에 빠트리는 걸 막고, 유머 감각은 조직 구성원의 갈등을 원만하게 조정한다.

　동일한 조건, 비슷한 상황에서도 어떤 조직은 성공적으로 임무를 수행하고, 어떤 조직은 비참한 실패를 맛본다. 리더는 조직의 성공과 실패에 결정적이고 직접적인 영향을 미친다. 훌륭한 리더는 위기를 기회 삼아 나아가지만 그렇지 않고 오히려 잘못된 판단을 내려 조직을 와해하는 리더도 있다. 오늘날의 군, 사회, 기업, 국가도 마찬가지다. 어떠한 리더를 가졌느냐에 따라 조직의 미래가 결정된다.

　성공이란 무엇인가? 사전적 정의를 보면 '뜻했던 바를 이룸'과 '사회적 지위를 얻음'이다. 성공이란 '얻고자 하는, 원하는 바를 얻었는지'에 의해 결정된다. 다시 말해 성공이란 소원을 성취하고, 내 역할을 통해서 다른 사람들에게 도움이 되고, 남들로부터 존경을 받는 '주관적 성공'과 사회적 직급이 높아져 입신출세하는 '객관적 성공'이 있다. 사람은 누구나 성공할 수 있는 무한한 가능성을 지니고 있다. 또 다행스럽게도 누구나 생각하고 노력만 잘하면 성공할 수 있는 현대 사회에 살고 있다.

(1) 성공하는 리더들의 특징

　미국의 기업 잡지 「시스템」에서 '어떤 리더가 우리 회사에 필요한가'라는 설문을 조사했다. 그 결과를 소개한다. 약속한 대로 실행하는 인물, 의지가 돌처럼 굳고 사소한 일에는 들뜨지 않는 사람, 어떤 문제에도 소신을 지키는 사람, 작은 일이나 큰일이나 진지하게 대처하는 사람, 개인의 야심이 아니라 사회와 인류에 도움이 되는 포부를 갖춘 사람, 기회를 포착하는 데 민첩한 사람, 용기와 결단력이 있는 사람, 대중 속에 있어도 자신의 특성을 잃지 않는 사람, 하기 싫거나 미천한 일도 마다하지 않는 사람, 실패하고도 낙담하지 않는 사람 등이 뽑혔다. 이것은 어느 분야의 리더에게도 똑같이 해당되는 사항이다.

함께 일하고 싶은 상사, 부하가 진심으로 믿고 따르는 리더는 실력과 인간미를 갖추고, 문제 해결에 앞장서고, 때로는 친구처럼 다정하고, 항상 본인 일처럼 솔선수범하고, 성과를 독차지하지 않고 골고루 배분하며, 소신을 지키고, 공사를 분별할 줄 아는 사람이다.

리더를 3가지 유형으로 나눌 수 있다. 첫째는 '자기 재주만 의지하는 리더'이다. 이런 유형의 리더는 어느 한계 이상으로는 클 수 없다. 둘째는 '자기보다 못한 사람을 등용하는 리더'다. 자신의 자리를 지키기 위해 하는 선택인데 이는 곧 멸망의 화를 자초한다. 셋째는 '자기보다 나은 사람을 쓸 줄 아는 리더'다. 셋째 유형의 리더가 진정한 성공의 길을 가는 리더다. 미국의 강철왕 앤드류 카네기(Andrew Carnegie)의 묘비에는 '여기, 자기보다 나은 사람을 쓸 줄 알았던 사람, 카네기 잠들다'고 적혀 있다. 이처럼 자기보다 나은 사람을 활용할 줄 아는 사람이 성공할 수 있다.

성공한 사람들은 무언가 특별한 것을 가지고 있다고 흔히 생각한다. 그러나 성공한 사람도 평범한 사람도 출발점은 같다. 사소한 차이, 꾸준한 노력이 성공과 실패를 가른다.

성공하는 리더들의 특징

1. 꿈과 목표가 분명하다.
2. 성실하면서 유능하다.
3. 좋은 습관을 지니고 있다.
4. 남의 배려와 친절에 감사한다.
5. 경청과 소통에 능하다.
6. 시간 관리를 잘한다.
7. 효과적으로 인맥을 관리한다.
8. 자신감, 적극성, 열정이 있다.
9. 남을 섬길 줄 알고, 인내심이 많다.
10. 유머감각이 뛰어나다.

성공한 사람은 일곱 번 넘어져도 여덟 번 일어서서 다시 달린다. 희망을 포기하지 않고 인내와 끈기로 목표를 향해 전력 질주한다. 성공하기 위해서는 성공을 향한 남다른 각오, 성공을 위한 치밀한 계획, 성공을 위한 자기 혁신, 성공을 향한 부단한 노력 등 수많은 것들이 하나가 되었을 때 비로소 가능해진다.

성공한 사람들의 공통점을 정리해 보면 첫째는 꿈과 목표가 분명했다. 비전과 분명한 목표가 있고, 그것을 행동으로 실천했다. 꿈에는 허황된 꿈과 현실 가능한 꿈, 두 가지가 있다. 성공한 사람은 허황된 꿈을 꾸지 않는다. 성공은 열정의 집합체다. 현실 가능한 꿈을 갖기 위해 꼼꼼히 연구하고 사전 준비를 한다. 앞을 내다보고 일하며, 변화에 능동적으로 대처하는 융통성을 갖고 있다. 반면 허황된 꿈을 꾸는 사람들이 가장 많이 모여 있는 곳은 감옥이다. 남들이 평생을 바쳐 모은 것을 단숨에 이루려보니 편법을 동원할 수밖에 없지 않은가.

둘째는 성실하고 유능하다는 점이다. 성실한 사람이란 부지런하고, 약속 잘 지키고, 커뮤니케이션 잘하는 사람을 말한다. 유능하다는 평가를 받으려면 전문성이 있어야 하고, 경영에 대한 이해가 있고, 글로벌화되어야 한다. 성실함과 유능함이 성공의 핵심이다.

셋째는 좋은 습관을 지니고 있다는 것이다. 성공하는 사람과 실패하는 사람은 아주 작은 생활 습관에서 그 차이가 발생한다. 인사하는 습관, 옷 입는 습관, 상대의 이야기를 진지하게 듣는 습관, 상대의 입장을 배려하는 습관, 어려움에 처한 사람을 보고 감싸주는 습관 등 성공한 사람은 훌륭한 습관을 지니고 있다. 성공을 꿈꾼다면 나쁜 습관을 빨리 고쳐라.

넷째는 남의 배려와 친절에 감사하는 사람이다. 남의 배려와 친절을 당연한 것으로 받아들이지 않고 항상 감사하는 마음을 갖고, 그 마음을 표현해야 한다.

다섯째로 경청과 소통에 능하다는 점을 꼽겠다. 소통이 무엇보다도 중요하다. 성공한 사람들은 남에게 일방적으로 지시하지 않는다. 누구에게, 무엇을, 어떤 방법으로, 언제 할 것인가 등을 타인과 상의하고, 조언을 수용해 계획을 실행해 나간다.

여섯째는 시간 관리를 잘 하는 사람이다. 시간은 모두에게 공평하게 주어진다. 나에게도 상대방에게도 하루는 24시간 동일하게 흐른다. 그러나 시간을 보내는 방식에서 차이가 난다. 시간은 관리하기 나름이다.

성공하는 사람은 시간 관리를 잘한다. 즉, 중요하고 긴급한 사안에 집중력과 시간을 바치고 그렇지 않은 사안은 짧은 시간을 들여 해결한다. 사소한 일에 시간을 낭비하지 마라.

일곱째는 효과적인 인맥 관리다. 주위를 둘러보라. 외톨이면서 성공한 사람을 찾아보기란 쉽지 않다. 성공한 사람들 주위엔 항상 사람이 많다. 그들의 인품이 사람을 끌어당겼을 수 있고, 성공한 사람 곁에서 얻게 될 이득을 노려 모여든 사람일 수도 있다. 한두 번의 성공이 아닌 지속적인 성공을 위해서는 사람보는 눈을 길러야 한다. 좋은 사람을 모으고, 이들과 긴밀한 관계를 유지하라. 최근에는 사이버 공간을 활용한 인맥 관리의 중요성이 부각되고 있다. 세상의 모든 일은 결국 사람을 통해 이루어짐을 잊지 마라.

여덟째는 자신감, 적극성, 열정이다. 성공하는 사람들은 세상을 긍정적으로 보고, 매사에 적극적이며, 자신감과 도전정신 그리고 열정을 지녔다. 성공한 사람들은 사고방식과 정신 자세부터 다르다.

아홉째는 남을 섬길 줄 알고, 인내심이 많다는 점이다. 항상 상대방을 섬기는 자세로 대하고, 그들의 어려움을 찾아 해결해 주고, 자신에게 다가오는 시련을 인내심을 가지고 참아낸다. 과정이 힘들다고 결코 포기하지 않는다. 자수성가한 사람들은 고통을 경험하고 힘든 과정을 겪으면서도 포기하지 않고 기다리다 기회가 다가오면 놓치지 않고 잡았다.

열째는 유머 감각이 뛰어나다. 재치나 유머는 타고난 것이 아니다. 누구든 노력하면 주변 사람들로 하여금 웃음이 터져 나오게 할 수 있다. 재미있는 사람이 되려면 시사에 능하고, 상식이 풍부하며, 유머 감각과 순발력이 있어야 한다. 사람들은 웃을 준비가 되어 있다. 그들을 즐겁게 해줘라. 그러면 그들이 찾아와서 중요한 정보를 제공할 것이다.

(2) 실패하는 리더들의 특징

실패는 어떤 사람에게만 찾아오는 특별한 경험이 아니다. 살다 보면 누구나 인생에서 크고 작은 실패를 겪기 마련이다. 작은 성공으로 자만심에 빠져 더 큰 실패를 가져오는 경우가 많다. 작은 성공에 만족하는 평범한 사람보다는 실패를 두려워하지 않는 도전적 인물이 앞으로 조직과 회사를 발전시킨다. 실패의 원인으로 사전 준비 부족, 안이한 일 처리, 경솔한 행동 등이 있다. 실패를 그대로 방치해 두면 독약이 되지만 철저히 원인을 분석하고 교훈을 찾아내면 오히려 최고의 보약이 된다.

삼성 그룹의 이건희 회장은 이런 말을 했다. "나는 이유 있는 실패는 나무라지 않지만 터무니없는 실패, 똑같은 실패를 반복하는 것은 엄격하게 대한다. 이유 있는 실패까지 나무라면 조직 내 창의성이 말살되고 복지부동의 자기 보신주의만 남는다. 내가 두려워하는 것은 실패 자체가 아니라 동일한 실패를 되풀이하는 것이다." 누구나 실수하고, 누구나 실패한다. 그러니 실패 자체를 두려워할 필요는 없다. 하지만 똑같은 실패를 되풀이하는 일은 지양하라.

미국의 기업 잡지 「시스템」에서 '필요하지 않은 리더' 역시 설문 조사했다. 그 결과를 소개한다. 입만 살아 있는 사람, 자존심이 너무 강하고 그 자리의 분위기에 융화하지 못하는 사람, 어떤 문제에도 일일이 참견하는 사람, 큰일 작은 일을 분간하지 못하는 사람, 툭하면 대의명분을 내세우는 과대망상적인 사람, 눈앞의 일에 너무 정신이 팔려서 대국을 잘

못 보고 일을 그르치는 사람, 신중하지 못하고 무작정 저돌적인 사람, 협조 융화의 정신이 결여된 독선적인 사람, 자기 본분을 다하는 데 긍지를 갖지 못하는 사람 등이다. 이러한 조건을 가진 리더들은 대체로 실패한다고 설명했다.

일반적으로 이러한 사람들은 결국 실패한다. 항상 부정적인 사람, 자기 잘못을 인정하지 않는 사람, 늘 변명하고 남의 탓으로 돌리는 사람, 매사에 할 수 없다는 사람, 담대하지 않는 사람 등이다. 실패하는 리더들의 공통점은 다음과 같다.

실패하는 리더들의 특징

1. 오만하다.
2. 실행력이 부족하다.
3. 변화에 둔감하다.
4. 핵심적인 결정만 한다.
5. 칭찬은 인색하고 처벌은 지나치다.
6. 원칙과 룰을 쉽게 깨뜨린다.
7. 완벽주의를 지향한다.
8. 인기에 연연한다.
9. 후계자 육성에 실패한다.

실패하는 리더들의 공통점을 보면, 첫째 오만하다. 자신만이 옳다고 생각한다. 초기 성공에 대해 자만했기 때문이다. 이미 성공을 맛본 경영자는 자신의 전략과 결과를 자랑스럽게 여기며 시장의 변화를 무시하기 쉽다. 이런 태도는 새로운 학습을 방해하고 '내 방식은 시장에서 이미 먹혔다'라는 식의 자아도취에 빠지게 된다. 하지만 시장은 무서운 속도로 변하며, 더 무서운 속도로 경쟁자가 등장한다. 잠시 방심한 사이에 쌓아온 공로가 순식간에 무너진다. 자신감이 지나쳐 오만해졌기 때문에 실패한 것이다.

둘째는 실행력 부족이다. 성공하는 리더와 실패하는 리더의 근본적인 차이는 어떻게 구성원들을 독려하여 실천하게 만드느냐에 달려 있다. 실행력이란 근본적으로 사람을 움직이는 일이기 때문에, 뛰어난 리더십이 없다면 실행력이 발현되지 않는다. 전략과 비전만으로는 부족하다. 과감한 결단력과 실행력이 중요하다.

셋째는 변화에 둔감하다. 과거 잘 나가던 기업들이 오랜 시간을 버티지 못하고 후발 주자에게 선두를 내주거나 시장에서 퇴출하는 사례를 분석해 보면, 외부 환경 변화에 둔감한 경우가 상당수다. 시대 흐름을 읽지 못하고 변화에 둔감한 리더들은 미래에 무엇을 성취할 것인가를 고민하기보다 지금까지 자신이 얻어낸 것을 지키려는 경향이 강하다.

넷째는 핵심적인 결정만 한다. 실패하는 리더의 또 다른 행동 특징은 핵심적인 결정만 자신이 하고 세부적인 일처리는 무시하는 경우가 많다는 것이다. 이럴 경우, 이른바 가까운 곳에서 일어난 일을 잘 모르는 '등잔 밑이 어두운 리더'가 될 수 있다. 반면, 성공하는 리더일수록 다각적인 채널을 통해 사업뿐만 아니라 부하에 대해서도 상세하게 파악하고, 현장의 목소리에 직접 귀를 기울이는 '현장 경영'을 추진한다.

다섯째는 칭찬은 인색하고 처벌은 지나친 경우다. 신상필벌(信賞必罰)은 상을 줄 사람에게는 반드시 상을 주고 잘못한 사람에게는 반드시 벌을 내린다는 뜻으로, 동양 역사상 최고의 참모로 꼽히는 제갈량(제갈공명)이 신조처럼 여겼던 문구다. 업무 수행 결과에 따라 엄격하고 공정하게 상벌을 적용한다는 의미뿐 아니라 상과 벌이 균형을 이루어야 한다는 뜻을 포함한다. 조직이 거둔 훌륭한 성과를 리더가 독차지하려 들거나, 직원들의 고생을 모른 척 한다면 어떻게 될까? 리더의 실수를 조직원들에게 돌리거나, 사소한 실수까지 엄격하게 책임을 묻는다면 그 조직의 미래는 밝지 않을 것이다.

여섯째는 쉽게 깨뜨리는 원칙과 룰이다. 조직마다 정해진 원칙과 룰이 있다. 리더가 원칙과 룰을 지키는 모범을 보이기는커녕 멋대로 룰을 깨고 원칙을 무시한다면 구성원들의 신뢰를 얻기 힘들다. 아침에 정하고 저녁에 고치는 조변석개(朝變夕改)로는 결코 부하들을 따르게 할 수 없다. 실패하는 리더의 전형적인 모습이다.

일곱째는 완벽주의를 지향한다. 완벽주의를 추구하는 리더는 큰 것을 놓치기 쉽다. 지나치게 완벽하게 추진하려다 보니 속도는 느려지고 결국 뒤처지게 된다.

여덟째는 인기에 연연한다는 것이다. 실패하는 리더는 자주 접촉하는 몇몇 사람에게만 잘 보이려 하고, 그들이 주는 사탕발림에 넘어간다. 눈앞의 인기만 생각하는 것이다. 이는 부하 직원 전체의 사기를 떨어뜨리는 효과적인 방법이다.

아홉째 후계자 육성 실패다. 리더의 마지막 역할은 유능한 후계자의 육성이다. 자신의 자리를 대신할 인재를 키워야 하는데 혹시 그 인재에게 자신의 자리를 빼앗길까봐 두려워, 혹은 당장 성과가 나오지 않는 일에 시간과 정성을 들이기 귀찮아서 후계자 육성 시기를 놓치곤 한다. 재

임 당시에 높은 평가를 받던 인물들이 후임자들의 부진한 성과로 인해
명성을 잃는 사례가 나오는 것도 이 때문이다.

제 4 장

리더의 9대
필수 핵심 역량

리더가 반드시 갖춰야 할 9대 역량

1. 조직 관리 능력
2. 인간관계 관리 능력
3. 소통 및 설득 능력
4. 의사 결정 능력
5. 정보력

6. 문제 해결 능력
7. 갈등 및 분노 조절 능력
8. 위기 및 리스크 관리 능력
9. 유머 능력

조직을 효과적으로 운영하여 높은 성과를 내는 것은 리더의 능력에 달려 있다. 리더의 능력은 조직이 보유할 수 있는 유일한 효과 우위(Effective advantage)다. 어느 조직이든 구성원이라면 누구나 주기적으로 능력 평가를 받는다. 세계적인 기업인 삼성그룹의 경우 역량 평가(40%)와 실적 평가(60%)를 합해 개인의 능력을 평가하며, 그 결과를 연봉 설정이나 승진에 고려하여 반영한다. 역량을 평가할 때는 다면평가를 실시하여 평가의 객관성을 확보한다.

그렇다면 리더로서 갖추어야 할 핵심 역량은 무엇일까? 사람에 따라서 여러 가지 역량을 말하겠지만, 필자가 정리한 핵심 역량은 다음과 같다. 여기에서 제시하는 핵심 역량들은 필자의 경험과 각종 사례, 학자들의 연구 결과를 종합한 것이다. 앞에서 이미 설명한 내용을 여기서 다시 언급하는 것은 그만큼 리더가 반드시 갖추어야 할 중요한 역량이기 때문임을 밝힌다.

(1) 조직 관리 능력

조직은 물리적이나 육체적인 힘으로 운영되지 않는다. 조직은 신뢰와 상호 이해, 동기 부여를 바탕으로 유기적으로 움직인다. 따라서 리더는 자신이 책임지는 조직 전반에 대한 기본적인 지식을 비롯해 조직의 사명, 가치, 목적 그리고 성과에 대한 지식들을 갖춰야 한다.

조직의 성장과 성과는 외부 환경의 문제라기보다 스스로 환경을 어떻게 받아들이는지에 따라 그 결과가 달라진다. 결국 성장이냐 퇴보냐의 문제는 외부 환경에 달려있는 것이 아니라 내부 대응을 어떻게 하느냐에 달려 있다. 지속적인 성과를 거두기 위해서는 원칙과 방향을 갖고 일관성 있게 실천하는 노력이 필요하다.

리더는 항상 올바르고 합리적인 사고방식에 균형감각을 더해 조직을 관리해야 한다. 자신의 행동에 정도를 벗어난 점은 없는지, 다른 사람이 보기에 부끄러운 행위는 없는지 스스로 돌아보며 경계해야 한다. 리더는 움직임이 모두 노출되는 어항 속 금붕어와 같다. 상관은 속일 수 있지만 부하는 결코 속일 수 없다. 부하의 눈을 피해 비밀을 감추려 하기보다 철저한 자기 관리, 주변 관리, 신상 관리에 힘써야 한다.

일찍이 에드워드 기번(Edward Gibbon)은 『로마제국 쇠망사』에서 국가가 멸망으로 이르기 전에 3,000번 이상의 예비 징후를 보인다고 했다. 조직은 한두 가지 요인, 한두 번의 잘못으로 무너지지 않는다. 그러나 이런 징후가 계속 반복되면 그 조직은 무너질 수밖에 없다. 지속적인 성장을 위해 우리 조직에 그러한 예비적 징후가 나타나지 않는지 꾸준히 살펴봐야 한다.

성공적인 조직 관리란

조직을 성공적으로 관리하기 위해서는 무엇보다 먼저 확고한 의지와 함께, 크고 넓고 세심하게 볼 줄 아는 리더십을 갖춰야 한다. 다음에는 부분에 집착하지 않고 전체를 보는 '시스템적 사고(Systems thinking)'로 '시스템 경영(Systems management)'을 해야 한다. 시스템 운영은 목표 중심으로, 시스템 경영은 전체 시스템 중심, 책임 중심, 인간 중심이어야 한다. 세 번째는 병원 조직이 '진단서' 하나로, 오케스트라단이 '악보' 하나로 그 조직을 운영하듯이 모든 조직은 정해진 규정과 방침, 매뉴얼 등에 따라 운영되어야 한다. 네 번째는 효과적인 동기 부여로 구성원의 열정과 헌신을 이끌어 내야 한다. 이 요인이 효과적으로 발휘될 때 조직의 능력이 극대화된다. 마지막으로 조직 문화의 개선이다. 토론·문화, 회의 문화, 회식 문화 등을 생산적이고 실효성 있는 방향으로 바꾸어야 한다. 조직원들이 원하고, 참여하고, 즐기는 방향으로 조직 문화가 자리 잡을 때 조직 관리가 수월해지고, 운영이 탁월해진다.

조직 관리의 핵심은 '조직원의 능력을 극대화'하는 것이다. 조직원의 능력을 증진시키고, 발휘하게 만드는 방법은 무엇일까? 리더는 조직원들의 지혜를 존중하고, 과정에 참여시켜야 한다. 리더는 자신의 권위를 가능한 한 조직에 분배하고, 직원들과 정보를 공유해야 한다. 조직 내에 동호회, 스터디 그룹, 바(bar) 등을 만들어 조직원들이 편안한 상황에서 인간관계를 구축하고, 가치와 정보를 공유하도록 유도한다.

조직을 통제하고 유지하는 비결은 무엇인가? 제갈공명은 '인화(人和)'에서 답을 찾았다. 그는 "용병의 도(道)는 인화이다. 인화가 이루어지면 권하지 않더라도 스스로 싸운다"고 했다. 조직 안에 화합을 이루어내는 일, 이것이 지도자의 역할이자 임무이다.

그러나 어떠한 조직에도 화합을 깨뜨리는 사람이 꼭 있게 마련이다. 제갈공명은 화합을 해치는 자로 다음과 같은 사람들을 꼽았다. 동료들과 속삭거려 무리를 만들고 능력 있는 사람을 비방하는 사람, 의식적으로 눈에 뜨일만한 화려한 의복을 입는 사람, 실현 가능성이 없는 이상론(理想論)을 내세워 주위 사람들의 판단을 현혹시키는 사람, 공적인 규율을 무시하고 제 멋대로의 판단으로 사람들을 선동하는 사람, 손익(損益)을 계산하여 몰래 적과 내통하는 사람. 제갈공명은 이 같은 사람은 반드시 경계하고, 미리 대책을 강구해야 한다고 충고했다.

조직의 목표를 달성하기 위해 활동하는 가운데 생겨난 유·무형의 산물과 체계가 바로 조직 문화이다. 조직 내의 제반 규범, 역할, 권위 체계 등은 조직 문화의 주요 부분들이다. 비슷한 환경을 가진 조직체가 서로 다른 유형이나 내용의 조직 구조를 갖게 되는 것은 그 조직체 구성원들의 성격이나 가치관, 욕구, 능력 등이 서로 다르기 때문이다. 어떤 조직체에서는 권위적인 리더십이나 지배적인 리더십이, 다른 조직체에서는 민주적인 리더십이나 가부장적 리더십이 주류를 이룬다. 그 조직체의 주류를 이루는 리더십 유형이 바로 그 조직체의 조직 문화이며, 그런 리더십 유형이 그 조직에 통하게 만드는 배경 역시 그 조직체의 조직 문화다. 리더는 조직 문화를 조성하고 강화해 나가는 데 핵심적인 역할을 한다.

〈사례〉 조직의 풀가동

요즈음 우리나라 대기업에 다니는 회사원들은 아침 일찍 출근해 밤늦게 퇴근한다. 할 일이 많아 주말에도 바쁘다고 하며, 경쟁에서 살아남기 위해선 야근도 불가피하다고 말한다. 보기에 딱하고 불쌍하기까지 한다. 그러나 이러한 회사들도 전문 경영 컨설팅 회사에 의뢰해 경영 상태를 진단해 보면 조직이 풀가동되지 못하고 손실된 부분이 많다고 한다. 그렇다면 과연 내가 소속돼 있는 조직은 목표 달성을 위해 조직이 풀가동되고 있는지, 유휴 요소는 없는지 한 번쯤 되짚어 봐야한다.

필자가 합동참모본부에서 과장으로 근무할 때의 일이다. 과원이 육·해·공군·해병대의 실무 장교로 구성돼 있는 비교적 큰 과(課)였다. 사람은 많았으나 과의 업무는 주로 과장과 주무 장교에 의해 꾸려졌고, 나머지 인원들은 본의 아니게 적지 않은 방관자가 돼 버렸다. 업무 실적은 적으면서 퇴근은 늦었다. 필자는 이런 업무 불균형 환경을 개선하고자 개개인의 임무와 능력을 세심하게 관찰했고, 문제의 본질이 무엇인지 찾아보게 됐다. 연후에 업무의 분담과 책임 소재를 분명하게 해주었고, 개인별 능력을 향상시켜 조직을 풀가동하는 데 주력했다. 새로운 틀이 정착되자 업무 효율이 높아져 업무 생산물은 많아졌고, 퇴근 시간은 당겨졌다. 이처럼 소속 조직원의 개인 역량을 결집하고 팀워크를 이뤄 신바람 나는 조직을 만드는 동시에 창의적으로 근무한다면 조직의 발전과 지속적인 성장을 보장받을 수 있다.

　내 조직에 유휴 인력은 없는지, 불필요한 부서나 팀은 없는지 다시 한 번 짚어 보고 장해 요인을 찾아 제거해 조직을 풀가동하는 데 모든 역량을 집중해야 한다. 조직의 비전과 목표 달성을 위해 구성원들을 풀가동시키는 것이 무엇보다 중요하다. 조직 내 유휴 인력은 없는지 지속적으로 확인하자.

(2) 인간관계 관리 능력

　리더는 인간관계의 전문가가 되어야 리더십을 제대로 발휘할 수 있다. 인간관계는 태어나면서 시작되고 죽음으로 끝난다. 인생은 인간관계의 역사 그 자체라고 할 수 있다. 인간관계는 시간과 공간을 초월한다. 일찍이 톨스토이는 "선생님, 어떻게 하면 저의 인생이 바뀔 수 있을까요?"라고 묻는 사람에게 "좋은 사람을 만나세요. 그러면 당신의 인생이 바뀔 것입니다. 그렇지 않으면 좋은 책 한 권 만나십시오. 역시 당신의 인생이 바뀌게 될 것입니다"라고 말한 바 있다. 김동호 목사는 『내게 행복을 주는 사람』에서 자신은 좋은 사람과의 만남을 최고의 축복으로 이해하기 때문에 막 태어나 기도를 받는 아이에게 "좋은 스승을 만나게 해주십시오. 좋은 친구를 만나게 해주십시오. 그리고 좋은 배필을 만나게 해주십시오"라고 기도한다고 밝혔다.

　인생이란 결국 누구를 만나느냐의 게임이다. 20대에 누구를 만나느냐에 따라 그 사람의 인생이 결정된다. 20대에 만난 사람들 중에 미래의 당신이 있다. 만남의 대상과 관계의 질(質)이 인생 성공에 막대한 영향을 미친다. 그런데 배우자, 친구, 학교, 직업 등은 스스로 선택할 수 있지만 가족은 자신이 선택할 수 없다. 직장 또한 자신이 선택할 수 있지만 상사는 선택할 수 없다. 내가 선택할 수 없는 상사와의 관계가 직장 내에서의 성장은 물론 인생의 성공 여부에 결정적인 영향을 미친다.

인간관계는 스스로 경험을 쌓아가면서 배우지 않으면 안 된다. 성공의 여신이 선택하는 사람은 재능이 있는 사람이 아니라 인간관계에 강한 사람이다. 사람과의 관계는 썩은 동아줄이 끊어지지 않을 만큼만 붙잡고 살아야 오래 지속된다. 너무 가깝게 지내면 흠이 보여 틈새가 벌어지기 쉽고, 너무 멀리하면 눈에서 벗어나 마음에서도 떠나 버린다. 그래서 너무 가까이도 너무 멀리도 하지 말아야 하는데 그게 말처럼 쉽지 않다.

홍석우 전 장관이 쓴 『딴 생각』에 나오는 구절을 소개한다.

"어느 구름에서 비가 내릴지 모르는 걸세. 우리 인생도 그래. 나에게 유익할 것 같은 사람만 상대하고 그런 이에게만 잘해선 안 되네. 내가 살아보니 도움을 줄 수 있다고 믿었던 사람은 정작 필요할 때 그 자리에 없고, 전혀 예상하지 않았던 사람이 그 위치에 있는 경우가 허다해. 그런 일이 생기면 과거에 그 분을 서운하게 했던 적은 없었는지 생각하느라고 머리가 분주하게 돌아가지."

어느 구름에서 비가 내릴지 모른다. 만나는 모든 사람에게 성심으로 잘 대해야 한다. 그렇게 한다면 훗날 도움이 필요할 때, 그 사람들 중에 누군가가 당신을 도울 것이다.

인간의 기본 심리를 알아야 사람을 잘 다룰 수 있다

인간의 기본 심리는 상(賞) 받는 행위(욕구가 충족되는 행동)를 자꾸 되풀이하고, 자신이 참여한 결정을 가장 잘 따른다. 사람은 누구나 자신이 중요한 존재라고 인정받기를 원한다. 사람은 모방심을 가지며, 보다 나은 것을 바란다. 사람은 알지 못하는 변화에 저항한다.

동서양을 막론한 사람들의 공통 심리는 '나는 잘생겼다', '나는 정의롭다'고 생각한다는 사실이다. 역시 공통적으로 사람들이 제일 싫어하는 유형은 잘난 척하는 사람, 있는 척하는 사람, 아는 척하는 사람이다. 상대방에게 무시당할 때 불쾌한 기분을 느끼고, 잘난 척하는 사람, 자기 얘기만 늘어놓는 사람을 보면 피곤해 한다. 툭하면 남과 비교하는 사람, 자신의 분수를 모르는 사람, 상대방의 약점만 들춰내는 사람 역시 기피 대상이다.

항상 자세를 낮추고, 겸손하며, 상대방의 이야기를 경청하고, 배려할 때 신뢰가 형성되고 관계가 좋아진다. 내가 하면 로맨스, 남이 하면 불륜이라는 '내로남불'의 의식은 관계를 악화시킨다. 항상 입장을 바꿔 생각하는 역지사지(易地思之)를 잊지 마라.

사람들은 어떤 사람을 좋아하고, 잊지 않고 기억할까? 그것은 바로 만나면 따뜻하게 대해주고, 반갑게 대해주는 사람이다. 자기를 좋아하고, 알아주며, 인정해 주는 사람이다. 많은 관심과 배려를 보여주고, 칭찬해 주고, 감동을 주는 사람이다. 포근하고 편안하게 해주는 사람이며, 어려울 때 기꺼이 도와주고, 위로와 격려와 용기와 힘을 주는 사람이다. 상대방을 칭찬하고, 사소한 일에도 항상 감사를 표하고, 관심을 보이고, 한

편이 되어줄 때 상대방 역시 내게 호의를 보일 것이다.

일과 인간관계의 1585법칙과 이미지 메이킹

일과 인간관계의 비중을 어떻게 해야 할까? 필자는 50대 50 정도가 적당하다고 생각했다. 하지만 인간관계 관리는 제대로 이루어지지 않았고, 성공적이지 못했다.

성공의 85%, 행복의 85%가 인간관계의 성공과 실패를 좌우한다. 미국에서 학자들이 연구한 결과 대인 관계가 좋은 사람과 나쁜 사람의 수입 차이는 40%였다. 미국 카네기 공대에서 인생의 실패 원인을 알아보기 위해 1만 명을 대상으로 조사한 결과 능력 부족이 15%, 인간관계 결함이 85% 나왔다.

일과 인간관계 관리의 비중을 20대에는 80:20으로, 30대에는 50:50으로, 40대 이후에는 15:85로 두는 것이 성공적인 인간관계를 만드는 길이다. 그래서 일과 인간관계의 비중을 1585법칙이라고 한다.

어떻게 해야 좋은 평판을 얻을 수 있을 것인가에 대해 알아본다. 최근에는 경력 사원을 선발할 때 먼저 평판 조회를 한다. 평소에 조직 내에서나 주변에서 어떻게 평가받는지를 알아보는 것이다. 리더라면 '리더십 평판'을 특히 신경 써야 한다. 의도적인 근무태만자, 심리적 이탈자, 반항아, 무관심한 이들을 리더가 제대로 이끄는 것이 중요하다.

인간관계에서 이미지 메이킹은 대단히 중요하다. 다른 사람들에게 어떻게 이미지를 심어줄까? 미시간 대학교의 로버트 액슬로드 (Robert Axelrod) 교수는 그의 저서 『협력의 진화(Evolution of

Cooperation)』에서 어떻게 이기적인 행위자들이 독단적으로 행동하는 가운데서도 협력하는 체제를 개발했는가를 탐구했다. 그 결과 행위자들이 소위 '보상보복(Tit-For-Tat, TFT)'을 택할 때 그와 같은 행위 패턴이 등장함을 발견하였다. 액슬로드는 성공적인 사회 생활을 위한 네 가지 행동지침을 알려주었다. 첫째는 '남에게 잘하라(Be nice)'는 것이다. 그러나 마냥 남에게 잘해주기만 하면 이기적인 세상에서 남에게 이용당하기 십상이다. 따라서 사람이 마냥 좋아서는 안 되고 '성깔이 있어야(Be punishing)' 한다. 하지만 '뒤끝은 없어(Be forgiving)'야 한다. 마지막으로 '맺고 끊음이 분명해야 한다(Be clear).' 종합하면 이렇다. 사회생활에서 성공하려면 동료들 사이에 다음과 같은 평판을 얻어야 한다.

"그 사람 괜찮지. 남에게 항상 잘해. 그래도 쉽게 보면 안 돼. 성깔이 있으니까. 뭐, 뒤끝은 없어. 그리고 그 친구를 대하는 것은 편해. 맺고 끊는 게 분명해서 뒤로 호박씨 깔 타입은 아니야."

인간관계를 성공적으로 관리하기 위한 리더의 행동은 다음과 같아야 한다.

첫째, 사람을 볼 줄 알아야 한다. 사람을 간판만 보고 판단하지 말고 위기를 극복하는 사람, 요점을 파악하는 사람을 간부로 삼아라. 설득력 있는 사람을 찾아낼 줄 알아야 한다.

둘째, 사람을 쓸 줄 알아야 한다. 원리원칙을 가르쳐주는 스승을 찾고, 직언해주는 측근을 가져야하며, 거의 대등한 위치에서 자문해주는 사람을 갖는 것이다. 타인의 우수한 능력을 활용할 줄 아는 것, 협력을 이끌어내는 능력이 중요하다.

셋째, 사람의 말을 들을 줄 알아야 한다. 경청해야 한다. 경청이 소통을 잘하는 것이고, 사람을 따르게 한다.

넷째, 사람을 움직일 줄 알아야 한다. 생산적 목적을 위해 동지를 모으고, 사람들의 창조적인 본능에 호소하고, 일에 긍지를 갖게 하면 사람들이 움직인다.

다섯째, 사람을 육성할 줄 알아야 한다. 사람을 키워 육성하는 것이다. 대인 관계와 사고방식의 맹점을 지적하고 개선시키고 자기계발의 본질을 가르쳐서 사람을 키워야 한다.

인간관계의 원칙

성공적인 인간관계, 건전한 인간관계를 위한 기본적인 자세는 올바른 가치관, 도덕성, 정도(正道)다. 진심으로 상대방을 이해하려고 노력하고, 적극적으로 다가서야 한다. 일찍이 공자(孔子)는 "자신이 원치 않는 바를 남에게 하지 마라"고 했고, 성경을 보면 "자신이 대접을 받고자 하는 대로 남에게 먼저 베풀어라"는 말이 나온다. 이처럼 성공적인 인간관계의 근본은 '사랑과 감사'에 있다는 사실을 명심해야 한다.

성공적인 인간관계의 원칙은 단기적 요소로 미소, 친절, 밝은 표정, 좋은 인상이 있고, 중기적 요소로는 경청, 배려, 존중이 있다. 장기적 요소는 신뢰이다. 성공적인 인간관계를 맺으려면 먼저 인간의 본성과 개인차에 대한 이해를 해야 한다. 관대함과 부드러움이 강한 것을 이긴다. 항상 손해 본다고 생각하라. 결국 인간관계의 승리자가 될 것이다. 세상은 자기를 지지하는 사람의 수(數)만큼 적(敵)도 있게 마련이다. 인간의 관계는 눈앞에서 멀어지면 머릿속에서 잊히고 관계는 사라지게 된다. 주는 것이 받는 것이요, 져주는 것이 바로 이기는 것이라는 사실을 기억하자. 남을 아는 것은 지혜로운 사람이고, 나를 아는 것은 명철한 사람이다.

인간관계의 원칙에 대해 알아보고자 한다. 먼저 인간관계의 대가인 데일 카네기(Dale Carnegie)의 인간관계 9대 원칙을 알아본다.

데일 카네기의 인간관계 9대 원칙

1. 비난이나 비판, 불평하지 마라.
2. 솔직하고 진지하게 칭찬과 감사를 전하라.
3. 다른 사람들의 열렬한 욕구를 불러 일으켜라.
4. 다른 사람들에게 순수한 관심을 기울여라.
5. 미소를 지어라.
6. 반드시 이름을 기억하라.
7. 경청하라. 자신에 대해 말하도록 다른 사람들을 고무시켜라.
8. 상대방의 관심사에 대해 이야기하라.
9. 상대방으로 하여금 중요하다는 느낌이 들게 하라.

인간관계의 정해진 공식은 없다. 또한 인간관계에 어떤 요령 혹은 비결이 있느냐 하면 그것 또한 정답이 없다. 하지만 선현들, 성공한 사람들의 사례 등을 통해서 교훈을 얻고, 행동 방향을 배울 수 있다면 어느 정도의 성과는 달성될 수 있으리라고 믿는다.

필자는 인간관계 원칙을 다음과 같이 제시한다.

인간관계 원칙으로 ①좋은 만남을 만들고, 끈끈한 관계를 유지하라.

인생에서 가장 중요한 것이 만남이다. 스승과의 만남, 친구, 배우자, 직장에서 상사, 동료, 부하와의 좋은 만남을 만들어야 한다. ②상대방을 신뢰하라. 먼저 믿음을 줄 때 상대방도 속내를 보인다. 불신 속의 대화와 사귐은 가식이요, 기만이요, 위선이다. ③대우받고 싶은 대로 상대방을 대접하라. 내 마음이 남의 마음이다. 하는 대로 받는다. ④상대방 말을 경청하고 정확한 말을 하라. 말을 잘한다는 것은 잘 듣는 것이고, 남을 높이고, 자기를 낮추며, 감사의 말을 잊지 않는 것이다. 내 편을 만드는 말, 적을 만드는 말을 가려서 해야 한다. ⑤상생의 길을 찾아라. 인간관계를 성공하고 행복으로 가는 길이다. 너도 살고 나도 사는 길을 모색해야 한다. 이러한 관계가 오래 지속되고, 서로 돕고 살게 되는 길이다. 너죽고 나만 사는 길은 결국 모두 망하는 길이다.

상대방을 이해해 주고, 배려하며, 존중해 줘라. 상대방을 이해하고 입장 바꿔 생각(역지사지, 易地思之)해야 한다. 인도 격언에 상대방을 이해하려면 상대방의 짚신을 3주야(晝夜)를 신어봐야 한다고 했다. 이해하고 배려하고 존중하는 것은 인간관계의 기초다. 남을 헤아려주면 스트레스 안 받고 정신 건강상에도 좋다. ⑥비난하지 말고 칭찬하라. 비난, 비평, 불평을 하지 않는다. 링컨의 성공 비결은 절대 비판하지 않고 불평하지 않는 것이었다. ⑦겸손하라. 예의바른 언어를 사용하고 겸손한 자세를 갖추되 비굴하지 말고 당당함을 가져야 한다. ⑧타인의 장점을 배우려고 노력하라. 우리가 타인과의 좋은 관계를 맺기 위해서는 타인의 장점을 배우려고 노력해야 한다. 나보다 나은 사람을 시기하고 질투하지 말아야 한다. 성공하는 사람들은 나보다 나은 사람을 진심으로 존경하고 사랑하고 배우려고 한다. ⑨상대방의 관심사에 대해 이야기하라. 그러면 호감을 갖게 되고 관계는 좋아질 것이다.

휴먼 네트워크

서양에서는 '지구상의 모든 사람들은 서로 알고 있는 5명의 사슬(chain)로 연결되어 있다[28]고 말한다. 다시 말해 서로 모르는 두 사람, 가령 서울의 미녀와 뉴욕의 백만장자도 다섯 자리 밖에 떨어져 있지 않다는 것이다. 2004년 1월 연세대 사회발전 연구소는 한국 사회의 연결망(네트워크)을 조사한 결과 한국인은 전혀 알지 못하는 사람과 3.6명만 거치면 연결되는 것으로 나타났다고 발표했다.

휴먼 네트워킹(인맥 관리)이란 각계각층의 사람들과 긴밀한 관계를 지속적으로 유지, 발전시키는 것을 말한다. 성실하고 유능한 사람일수록 휴먼 네트워킹을 효과적으로 실천한다. 사회생활에서 인적 자원은 정말 중요하다. 인적 자원을 잘 관리하면 최소의 비용으로 최대의 효과를 낼 수 있다. 이것이 휴먼 네트워킹을 강조하는 이유다.

휴먼 네트워킹을 효과적으로 실천하려면 다음과 같은 사항을 행동으로 옮겨야 한다. 첫째, 항상 손해 본다고 생각하는 것이 인간관계의 승리자가 된다. 양보하여 져주고 이기는 방법을 배워 실행해야 한다. 둘째, 꿩을 잡으려면 매부터 손에 넣어야 한다. 꿩 잡는 게 매라고 하지 않았던가. 인사권자를 공략하고, 영향권자, 여론 조성자를 파악해 내 편으로 만들고, 활용하라. 셋째, 주변에 문무(文武)를 겸비한 인재들과 사귀어라. 주변에 우군을 많이 만들고, 상대방의 필요를 채워주고 배려

---

28 알버트 라즐로 바라바시(강병남 외 옮김), 『링크』, (도서출판 동아시아, 2003), 66쪽.

하는 것을 몸에 배이도록 하라. 동아리 활동이나 모임을 만들거나 기존 모임에 참석하라. 다양한 직종의 사람들과 교류하면 많은 정보를 얻을 수 있다. 넷째, 친구는 가까이 있다. 적은 더 가까이 있다. 아무도 믿으면 안 된다. 벽에도 항상 귀가 있다. 꼭 해야 할 말만 하고 나머지 이야기는 줄여라. 적의 처마 밑이 가장 안전하다. 다섯째, 적을 만들지 마라. '한(恨)'이 맺힌 사람을 만들지 마라. 언젠가 나에게 돌아오기 마련이다. 여섯째, 평소에 잘하라. 어느 구름에서 비가 내릴지 모른다. 이해관계가 없을 때 잘하라. 일곱째, 도와줄 때는 무조건, 적극적으로 도와라. 조건이나 대가를 바라면 돕지 아니한 만 못하다. 여덟째, 약속을 철저하게 지킨다. 신뢰가 자산이다. 아홉째, 불필요한 논쟁을 하지마라.

(3) 소통 및 설득 능력

삼성경제연구소가 기업 최고경영자 대상 사이트인 SERICEO 회원 380명에게 '불황을 이겨내기 위해 명심해야 할 지침'을 설문 조사했더니 응답자의 21.8%가 '직원과의 소통'을 꼽았다. 경영 환경이 악화되면 조직의 사기가 크게 떨어진다. 이럴 때일수록 CEO는 직원이 일할 의욕을 북돋아줘야 한다는 것이다. 불황 땐 더 적극적으로 소통에 신경을 써야 한다고 답했다.

소통의 기본은 'Good Speaker'가 되는 것이 아니라 'Good Listener'가 되는 것이다. 대체로 대화의 맹점은 서로 '말하기'만 할 뿐, '듣지' 않는다는 데 있다. 서로의 입장을 먼저 들어준다면 싸움이 아닌 진정한 소통이 가능해진다. 서로 통하지 않은 소통은 '불통'이다. 자신의 의견을 피력하는 것은 어느 누구나 할 수 있지만, 남의 의견을 진지하게 경청하는 것은 전자에 비해 힘들다. 주변 사람들과 소통하고 공감하고 싶다면, 자신의 의견은 잠깐 접어두고 상대방의 이야기에 곰곰이 귀 기울여 보는 것은 어떨까?

리더는 핵심 전달에 능숙해야 한다. 핵심을 전달하기 위해 사례, 비유, 경험 등을 활용하여 모든 사람들이 직관적으로 이해할 수 있도록 의사소통을 해야 한다. 마틴 루터 킹(Martin Luther King)과 스티브 잡스의 연설이 높게 평가 받는 이유는 경험을 이야기하며 모두가 이해하도록 핵심을 전달했기 때문이다.

효과적인 스토리로 설득하라

사람을 설득하는 일은 어렵다. 더욱이 많은 사람들을 설득하는 일은 정말 어렵다. 일찍이 『로마인 이야기』의 저자인 시오노 나나미(しおのななみ)는 대중을 설득하는 효과적인 방법은 '결과물을 직접 보여주는 것'이라고 했다. 하지만 미래의 일과 복잡한 상호 관계에 있는 현상의 결과물을 보여주는 것은 쉽지 않다. 우리는 항상 '누군가를 설득'해야 한다. 고객을 설득하고, 직장 동료와 사업 파트너, 배우자와 자녀들을 설득해야 한다.

어떻게 하면 사람의 마음을 쉽게 움직일 수 있을까? 마음을 움직이는 멋진 한마디, 가슴을 두드리는 감동적인 표현, 쉽고 명확하게 메시지를 전달하는 비유 등 설득의 달인이 활용하는 최고의 무기는 '스토리'다. 효과적인 이야기를 만들고 재미와 정보를 담아 활용하면 설득력이 올라간다.

인간은 사회 속에서 다른 사람들과 어울려서 살아가기에, 설득하고 설득당하는 상황에 끊임없이 직면한다. 설득 여하에 따라 천 냥 빚을 갚기도 하고, 사람을 잡기도 한다. 설득은 강력한 리더십의 원천이다. 사회 환경이 복잡해지고, 이해 관계자들이 많아지고, 경쟁이 심화될수록 '설득 없이는 경영도 없다'는 사실을 알아야 한다.

설득의 구체적인 기법

설득 능력을 높여주는 설득의 구체적인 기법에 대해 알아본다.

먼저 감정을 자극한다. 사람을 어떤 사안에 빠져들게 하려면 집중과 몰입이 필요하다. 사람의 머리가 냉철한 상태, 즉 이성적인 상태가 되면 평가하려 들고, 딴 생각을 하게 된다. '우리'가 아니라 '남'이라는 생각이 들면 설득은 물 건너간다. 연애와 설득의 공통점은 몸이 달아올라야 딴 생각을 못한다. 몸이 달아오르게 만들어야 한다. 감성적으로 만들어라. 냉철하게 만들면 설득은 어려워진다.

다음은 이야기를 만들어 설득해야 한다. 이야기의 힘은 대단하다. 처제와 형부의 숨겨진 사랑에 대한 이야기를 뉴스에서 보도한다면 '미친 놈'이 되지만 드라마에서 감정을 가진 이야기로 풀어내면 공감의 눈물을 흘린다. 설득은 드라마다. 리더는 이야기꾼인 것이다. 소설의 5단계인 도입, 전개, 갈등구조(위기), 절정, 결말처럼 내 이야기를 흡입력 있게 정리해야 한다.

셋째는 인용과 비유를 사용하는 것이다. 이 분야의 역대 세계 최고 전문가는 예수님이다. 말 몇 마디로 제자를 만들고, 말 몇 마디로 수천의 사람들이 따르고, 말 몇 마디로 지금까지 수억의 인구를 감동시키고 있다. 예수의 화법은 무엇인가. 바로 인용과 비유의 화법이다. 왜 설득에 인용과 비유, 사례가 필요한가. 설득은 아직 일어나지 않은 일에 대한 것이다. 설득의 포인트는 인용과 비유, 사례를 통해 '이렇게 될 것'이라는 신념을 주는 데 있다.

넷째로 전문 용어를 사용하지 말고 생활 용어를 사용한다. 우리가 너무 쉽게 범하는 실수 중 하나가 바로 전문 용어의 남발이다. 잘 모르고 쓰는 경우, 유식해 보이려고 일부러 쓰는 경우, 아무 생각 없이 쓰는 경우 등이다. 상대방을 설득할 때 일부러 전문 용어를 쓰는 것은 독약과 같다. 자신도 잘 모르는 단어를 사용하는 그 순간에 말하는 사람과 듣는 사람 간에 연결 구조가 끊어지고 설득에 실패하게 된다.

다섯째는 압축하되 반복하는 것이다. 최고의 설득 기술은 초점을 좁히고 반복해서 청중을 세뇌시키는 것이다. 내가 내리려는 결론과 상관없는 모든 논점과 데이터는 삭제하라. 완성이란 더 보탤 것이 없는 상황이 아니라, 이제 더 이상 뺄 것이 없는 상태를 말한다.

여섯째, 온몸으로 설득하라. 심리학자 앨버트 메라비언(Albert Mehrabian)이 '어떤 요소에 의해 내용이 전달되는가'를 조사했다. 결과를 보니 언어적인 요소(말의 내용)는 단 7%에 불과했다. 38%는 청각적인 요소(목소리 톤), 나머지 55%는 시각적인 요소(자세, 용모, 복장, 몸짓, 손짓, 표정, 태도)로 전달되었다. 좋은 목소리 톤과 밝은 자세, 깔끔한 복장 등의 비언어적인 요소가 93%나 차지하는 것이다. 상대방을 설득할 땐 밝은 목소리와 상냥한 태도, 깔끔한 옷차림 등 비언어적인 요소를 적절하게 활용하는 것도 방법이다.

마지막은 왜냐하면(because) 효과다. 복사를 하기 위한 줄이 길게 늘어져 있을 때 급한 용무가 있는 사람이 먼저 복사해도 되냐고 양해를 구했다. 상대방에게 말할 때 '왜냐하면' 하고 먼저 복사해야 하는 이유를 말하자 94%가 승낙했고, 이유를 밝히지 않고 부탁만 했을 경우 승낙하는 경우가 50%로 떨어졌다.

〈사례〉 최고의 설득은 현장에서 보여주는 것이다

필자가 '경의선 복원 사업' 군(軍) 추진위원장으로 임무를 수행할 때의 이야기다. 김대중 전 대통령 재임 시절, 6.15 남북공동선언과 남북장관급 회담(2000년7월31일)을 계기로 남과 북을 잇는 경의선 철도와 도로 연결 사업을 추진하게 되었다. 이를 위해 군에서는 휴전선의 비무장지대에 매설된 수많은 지뢰를 제거하고자 했다. 지뢰 제거를 위해 공병부대를 투입하려는데 국내 각종 언론매체에서 외국 사례를 들며 '지뢰 10만 발 제거 시 평균 5~6명이 사망하고, 수십 명의 부상자가 발생한다'는 기사를 내보냈다. 투입이 계획된 공병부대의 장병과 그 장병의 가족들은 불안과 공포에 떨었고, 공병여단장과 군단장에게 자식을 걱정하는 문의 전화가 쇄도했다. 주말엔 혹시 자식들이 잘못될까봐 걱정하는 가족들의 면회가 급증해 정상적인 부대 운영과 임무 수행이 곤란한 지경에 이르렀다. 이에, 추진위원회에서는 안전한 방법으로 지뢰를 제거한다는 홍보를 추석 연휴 전에 하기로 결정했다.

먼저, 국방부 기자실에서 '군은 지뢰 제거 작업이 위험한 작업임을 충분히 인식하고 있으며, 새로 도입한 장비로 안전하게 제거할 것이고, 단 한 명의 인명 피해도 발생하지 않도록 최선의 노력을 다할 것이다'고 설명했다. 다음날 무건리 지뢰 제거 훈련장에서 지뢰 제거 장면을 연출하여 보여주며 안전함을 알리려 했다.

당시 무건리 지뢰 제거 훈련장에는 국내외 통신사와 기자들 150여 명이 몰릴 정도로 높은 관심을 보였다. 추석 연휴 기간 중에 지뢰 제거가 안전하게 시행된다는 내용이 국내외 언론 매체에 보도되면서, 국민들은 물론 투입 부대 장병들의 가족들도 한결 마음을 놓을 수 있었다. 지뢰 제거 업무는 성공적으로 수행되었고, 경의선 복원 사업은 단 한 명의 인명 피해 없이 성공적으로 임무를 마칠 수 있었다.

추석 전에 홍보를 하고, 연휴 기간 중에 전파를 타면서 전 국민의 불안과 걱정을 잠재울 수 있었다. 홍보의 효과와 중요성을 실감했고, 특히 현장에서 지뢰 제거 장면을 보여준 것이 결정타였음을 깨달았다. 역시, 최고의 설득은 현장을 보여주는 것이다.

(4) 의사 결정 능력

민주주의와 시장 경제 체제하에서는 획일화된 명령과 지시가 아닌, 자유로운 활동에 의해 공동체 의사 결정이 이루어진다. 여기에는 이슈의 선정, 토론의 과정, 의사 결정, 결정된 사안의 실천 등이 해당되고, 이 모든 단계마다 리더십이 필요하다.

인생은 의사 결정의 연속이다. 본인의 인생도 어떠한 직업을 선택하느냐, 어떠한 가치관과 인생관을 가지느냐, 어떠한 배우자를 선택하여 만나느냐에 따라 결과가 달라진다. 의사 결정(Decision making)은 복잡성, 불확실함, 모호함을 다룬다. 정보를 확실히 함으로써, 의사 결정이나 판단이 가능하다. 또한 경영에 있어 위험의 균형을 맞춰 적절한 시간에 적합한 결정을 하게 된다.

21세기는 복잡성과 불확실성의 시대다. 이렇게 환경이 복잡할 때는 최고의 리더 한 명의 능력에 의존하기보다는 전문성을 갖춘 중간 리더들의 다양한 의견 개진에 집중하는 것이 낫다. 다양한 의견을 모으고, 집단 지성을 발휘할 때 변화무쌍한 환경과, 뒤얽힌 이해관계에서 속출하는 문제들을 신속하게 대응할 수 있다.

피터 드러커와 짐 콜린스(Jim Collins) 같은 현대 경영학의 거장들도 '반대의견에 대한 관용'을 리더의 요건으로 꼽은걸 보면 정치가 아닌 다른 분야에서도 리더의 요건이 크게 비슷해 보인다. '전체 조직원 가운데 10%의 No-man을 용인하지 못하는 리더는 위험하다', '반대 의견 없이 이뤄진 의사 결정은 추락의 시발점'이라고 말한다.

개인처럼 조직도 언제, 어떻게, 무엇을 선택하고 집중하느냐에 따라 그 장래가 결정된다. 리더는 조직을 위해 매우 중요하고 힘든 결정을 내리고, 그 결과에 책임을 져야 한다. 그러므로 리더라면 의사 결정 단계와 의사 결정법을 미리 배워두어야 한다.

의사 결정이란 '문제를 인식하고 해결하는 과정'을 말한다. 문제를 인식하는 단계에서 환경과 조직의 상황에 대한 정보를 수집하며, 문제를 해결하는 단계에서 행동의 가능한 대안을 고려하고 그중 하나를 선택하여 실행한다.

시행착오와 실패를 줄이고 성공 가능성을 높이기 위해서는 의사 결정 과정에서 몇 가지 원칙을 지키는 것이 필요하다. 하버드 대학교 총장을 지낸 로렌스 서머스(Lawrence Summers)는 의사 결정시 고려해야 할 리더십 원칙 5가지를 이렇게 말했다.

의사 결정시 고려할 리더십 원칙 5가지

1. 다양한 가능성을 고려하여 복수의 시나리오를 만든다.
2. 단기적인 요인, 중장기적인 관점을 반드시 확인한다.
3. 실천 가능한 대안의 폭을 넓힌다.
4. 반대 의견을 반드시 경청해야 한다.
5. 개인이 아닌 다수의 관점과 시각을 고려하라.

위와 같은 리더십 원칙을 고려하여 의사 결정에 적용한다면 실패를 줄일 수 있다. 리더의 의사 결정 능력은 조직 경쟁력의 핵심이다. 리더는 문제를 해결하고 목표를 달성하기 위해 조직이 나아가야 할 여러 가지 방향 가운데 최적의 길을 선택해야 한다. 직관적인 의사 결정은 빠른 판단이 가능하지만 부정적인 감정의 함정에 빠질 수 있다. 합리적이고 과학적인 매뉴얼을 만들어 꾸준히 훈련해야 한다. 그래서 본질을 꿰뚫어 보는 통찰력을 길러야 한다.

필자는 조직 생활을 하면서 정책을 결정하는 회의나 토론에 정책 입안자, 관련자와 이해 당사자들을 모두 참여시켜 갑론을박(甲論乙駁)하고, 그 과정을 통해 나온 결정에 참가자 모두가 사심 없이 동참할 것을 요구했다. 최종 책임자는 필자지만 의사 결정에 참여한 사람들 또한 그 결정에 책임을 져야 한다고 말했다. 토론하다 보면 반대하거나 비판하는 세력도 있었지만 진지하게 의견을 개진하고 해야 할 일이 결정되면, 놀라울 정도로 모든 사람이 실행 과정에 자발적으로 참여했다.

성공한 리더들에게 '의사 결정을 잘하는 비결이 무엇이냐'고 물으면 이들은 공통적으로 '100% 완벽한 의사 결정은 없다'고 답한다. 완벽할 필요는 없다. 적절한 의사 결정을, 적절한 시기에 내리는 것으로 충분하다. 또한, 자신의 선택이 잘못됐다고 깨닫는 순간 빠르게 수정하면 된다.

의사 결정을 잘하는 사람들은 이 결정을 언제까지 하는 게 가장 적절한가를 먼저 생각한다. 적절한 시기에 맞춘 최선의 결정이 중요하다는 걸 누구보다 잘 안다는 뜻이다. 그래서 결정의 순간까지 최대한 정보를 수집하고, 다른 사람들의 의견에 귀 기울이면서, 상황을 판단하려 애쓴다. 그러나 의사 결정의 순간이 오면 그들은 더 이상 망설이지 않고 과감하게 선택한다. 100% 확신이 들지 않더라도, 좋은 판단이라는 생각이 70%만 들어도 과감하게 결단하고 실행에 옮긴다. 또 실행에 옮긴 의사 결정이 잘못됐다고 판단되면, 언제든지 자신의 결정을 수정하거나 심지어 번복한다. 그러면서 결국 최선의 결정에 도달한다. 리더가 자신의 의사 결정을 바꾼다는 얘기는 그만큼 구성원들과 소통을 많이 한다는 뜻이다. 밀실에서 혼자 심사숙고해서 의사 결정을 하는 '고독한 독재자형' 리더는 의사 결정을 번복할 수 없다. '결정한 메시지'가 유일한 소통의 수단이었기 때문에, 그걸 바꾸면 실없는 사람이 된다. 평소 소통을 많이 한 리더는 자신이 왜 의사 결정을 바꾸게 됐는지 구성원들을 쉽게 설득할 수 있다. 리더가 평소 조직원들과 소통해야 하는 이유가 여기에 있다.

성공적인 의사 결정 6단계

세계적 석학인 피터 드러커는 『의사 결정의 순간』에서 '성공적인 의사 결정 6단계'를 말하면서, 의사 결정은 한순간에 이루어지는 것이 아닌 논리적인 사고의 여러 단계를 거쳐야 한다는 점을 피력했다. 성공적인 의사 결정 6단계를 살펴본다.

성공적인 의사 결정 6단계

1. 문제 분석   4. 의사 결정
2. 문제 정의   5. 세부 실행 방안 결정
3. 가능한 답 열거   6. 결과 예측

　합리적이고 성공적인 의사 결정의 1단계는 문제를 분석하는 것이다. 주어진 문제가 일반적인 것인지, 예외적인지 먼저 판단하고, 일반적인 문제는 규칙과 원칙을 활용하며, 예외적인 문제는 상황에 맞게 처리한다. 2단계는 문제에 대한 정의다. 그럴듯하지만 완벽하지 못한 정의는 위험하다. 불완전한 정의를 막는 유일한 방법은 관찰 가능한 모든 사실을 반복적으로 확인하는 것이다. 3단계는 그 문제에 가능한 답을 일단 모두 열거하는 것이다. 4단계는 3단계에서 나온 답 가운데 올바른 것을 고르는 결정이다. 5단계에서 세부적인 실행 방안을 결정한다. 어떤 의사 결정을 내렸는지 알아야 할 사람들과 책임자를 명시하고, 실천에 필요한 행동을 미리 정한다. 마지막 6단계는 결과를 예측하는 단계다. 의사를 결정할 때 정보 모니터링과 보고를 포함시켜, 그에 따른 기대치와 실제 상황의 차이를 확인한다. 현장 확인을 통한 피드백이 중요하다. 서로 다른 유형의 사람을 옆에 두고, 현실을 냉철하게 직시하며, 가치 있는 실수는 과감히 포용하라. 현장에서 정보를 얻어야 하며, 자신에게 솔직해야 한다.

　반대로, 리더는 합리적인 의사 결정을 막는 5가지 함정을 조심해야 한다. 눈으로 보는 것만 믿고, 결정한 것은 끝까지 고수하고, 과거의 자료나

추세만 중시하고, 늘 하던 대로만 하고, 본인의 능력을 지나치게 과신할 때 잘못된 의사 결정을 내리고, 수습할 방법을 찾지 못한 채, 조직은 실패의 길을 걷게 된다.

경영 환경의 불확실성이 고조되고, 예측 가능한 범위가 줄어드는 상황에서 결정을 내려야 하는 리더의 부담은 클 수밖에 없다. 경영 환경은 시대의 변화에 따라 달라진다. 최근 기업은 지식 자체보다는 지식의 '올바른' 사용 방법, 즉 윤리적 판단을 과거보다 더 중요하게 생각한다. 리더는 의사를 결정할 때 이 결정이 일반적인 도덕에 부합하는가를 먼저 판단해야 한다. 또한 의사 결정시 다른 사람들의 감정이나 성격, 생각을 이해하고 그들이 이성적으로는 물론 감정적으로도 납득할 수 있는 결정을 내리기 위해 노력해야 한다. 조직의 리더들이 갖춰야 할 조건으로 인간의 이성과 본능, 선과 악에 대한 이해가 있어야 한다.

〈사례〉 독일 본의 '유대인 박물관' 건립

필자가 독일 본에 있는 '유대인 박물관'을 방문했을 때 대사관 직원으로부터 들은 얘기다. 독일은 유대인 박물관을 지을 것인지 말 것인지, 지으면 어디에 어떻게 지을 것인지를 10여 년 동안 국민들과 진지한 토론 과정을 거친 후에 건립을 결정했다고 한다. 비록 결정하기까지 10여 년이라는 시간이 걸렸지만, 결정이 된 후에는 일체 잡음 없이 건립까지 이루어졌다고 한다. 그러면서 하는 말이, 인접한 프랑스는 의사 결정은 빠르나 그 후에도 계속 잡음과 불만이 지속된다고 했다. 이 이야기를 들으며 우리나라는 과연 어느 쪽에 가까운 것일까 생각했다. 의사 결정은 신중하게 합리적으로 하되 일단 결정된 후에는 잡음이 없는 것이 바람직하다고 본다.

(5) 정보력

성공한 사람들은 모두 정보력이 좋았다. 정보는 파워요, 영향력이다. 전쟁을 치루는 사람들, 예를 들어 이순신, 칭기즈 칸 등도 정보 수집에 관심이 많았고, 정보 우위로 승리를 달성했다. 정보력이 생명이다. 리더는 정보를 수집할 수 있는 자신만의 네트워크가 있어야 하고 이를 분석, 평가하여 정보화한 후 활용해야 한다.

정보화 사회에서는 정보의 창출, 공유, 활용이 경쟁력의 원천이다. 정보에는 2가지 유형이 있다.[29] 하나는 기계적 장치를 통해서 얻는 시그널 정보(SI: Signal Intelligence)로 인공위성이나 정찰기를 통해서 병력이나 무기의 이동을 포착하는 것이 여기에 속한다. 또 하나는 인간을 통해서 얻는 휴먼 정보(HI: Human Intelligence)로 인간 사이의 긴밀한 교감을 통해서 상대편 적군의 마음, 정서, 전략 등을 알아내는 것이 여기에 속한다. 미국은 SI 정보 능력에서는 세계 최강을 자랑한다. SI에 관한 오만에서 HI를 소홀히 하다가 2001년 9월 11일 사태를 사전에 막지 못했는지도 모른다.

조직과 기업 내 정보화의 입장에서 단계별 지식의 개념을 알아보자. 단순한 사실인 데이터, 데이터들을 결합하여 의미가 부여되는 정보, 일반화된 정보로 모든 사람들이 공유하고 사용할 수 있는 상태인 지식, 선악과 도리의 분별을 할 수 있는 지혜가 있다. 궁극적으로 정보와 지식은 상호 연관되어 있으며, 정보에서 지식을 창출할 수 있고, 지식을 정보로

---

29 윤석철, 『경영, 경제, 인생 강좌 45편』, (위즈덤하우스, 2005), 182쪽.

세분할 수 있다.

군에서의 정보란 바로 기상, 지형, 적에 관한 사항을 말한다. 정보력 확보를 위해서는 다음과 같은 노력이 필요하다.

필자가 베트남에 참전(맹호사단 혜산진부대 - 수도사단 26연대) 당시, 연대 본부에 도착하여 첫 훈련으로 야간에 적과 교전 시 적의 소총인 아카보(AK) 총소리와 아군 소총인 M16 소총의 총소리를 식별해 내는 훈련부터 받았다. 야간 작전에 가장 기초가 되는 훈련이었기 때문이다. 아울러 혜산진 12호 작전 때는 사전에 정보부대에서 입수한 정보, 항공 및 지상정찰 결과와 상급부대 등에서 획득된 정보 등을 종합하여 정보 조성을 한 후, 작전에 투입되는 부대에 배포하여 활용했다. 그 결과 작전에 성과를 창출하는데 크게 도움이 되었다.

또한 후방사단장시절에는 무장공비 출현에 대비하여 대대단위로 적이 사용할만한, 즉 은거지로 사용할만한 예상 지역의 동굴 등을 파악하여 수색 작전 대상 지역을 선정했다. 그리고 적이 사용 가능한 통로를 가늠하여 예상 매복지점 등을 파악하고 지형정보를 수집, 활용했다.

이처럼 '정보 없는 작전은 상상할 수도, 전투에서 승리할 수도 없다'는 것을 피부로 느꼈다.

정보를 가진 자가 전쟁을 지배한다. 미드웨이 해전을 성공으로 이끈 미국의 정보력이나 6일 전쟁에서 압승한 이스라엘의 통신 정보 활동과 정확한 정보 판단, 소련과 동구권 붕괴를 촉진시킨 미국의 CIA 비밀공작 등 성공 사례와 진주만 기습에 당한 미국의 굴욕, 베트남전 당시 미군의 정보 실패, 9·11 세계무역센터의 공중 테러 당시 미국 정보기관의 무사 안일 등 실패 사례를 반면교사로 삼아 정보의 중요성을 깨닫고 정보력을 키워야 한다. 지금은 하루가 다르게 과학이 발전하면서 정보 수집 수단이 다양하게 진화하고 있다. 21세기 정보 환경의 변화와 함께 더욱 치열해지는 사이버전 양상 등에 관심을 가지고 이를 대비할 능력을 갖추어야 한다.

정보가 만능은 아니다. 정보만으로 전쟁에서 승리할 수는 없다. 하지만 정보는 승리를 위한 충분조건은 아니더라도 필수적인 요소임은 확실하며, 시대를 막론하고 모든 전쟁에서 정보는 승패를 좌우하는 핵심 역할을 해왔다. 정보의 중요성을 인식하고 정보력을 키워야 한다. 그것은 군대에만 적용되는 사항은 결코 아니다. 정부, 기업 등 모든 분야에 적용되는 것이다.

정보는 대부분 현장에 있다. 또한 이를 가장 잘 알고 있는 사람도 현장에서 일하는 사람이다. 따라서 이들의 의견을 듣고 경영에 반영하는 것이 구성원을 신바람 나게 하고, 동시에 조직의 성과를 제고시킨다.

(6) 문제 해결 능력

어느 조직이나 문제는 있기 마련이고, 문제는 해결하라고 있는 것이다. 유능한 리더냐, 그렇지 못하느냐는 조직에 문제가 발생했을 때 문제 해결을 어떻게 하느냐에 따라서 평가받는다. 환경과 타인을 탓하는 사람은 '문제의 심각성'에 집중하지만, 스스로 책임지는 사람은 '문제의 해결책'에 집중한다. 결국 문제의 원인도, 해답의 열쇠도 나 자신에 있는 경우가 많다.

영국의 역사가 아놀드 조셉 토인비(Arnold Joseph Toynbee)는 '인류의 역사는 도전과 응전의 역사'라 했고, 유럽의 사상가 카를 포퍼(Karl Popper)는 '삶은 문제 해결의 연속'이라고 했다. 환경의 변화는 도전의 형태로 일어나고, 도전에 대한 응전은 바로 문제 해결로 이뤄진다. 어떤 조직도 변화에 따른 도전에 대한 응전 즉 문제 해결의 연속이며, 인생의 삶도 마찬가지로 문제 해결의 연속이다.

문제 해결 요령

뉴욕시 록펠러 센터에 있는 가장 훌륭한 출판사 중의 하나인 사이먼슈스터사의 리온 심킨 회장은 해결해야 할 문제가 있을 때마다 다음의 4가지 질문을 이용했다. 첫째, 문제가 무엇이냐? 둘째, 문제의 원인은 무엇이냐? 셋째, 가능한 해결책은 무엇이냐? 넷째, 최상의 해결책은 무엇이냐? 이 4가지 질문을 통해 답을 찾다 보면 문제가 해결된다고 한다.

예를 들면, 동업으로 소매상을 하고 있는데 이익이 줄어들어서 회의를 한다고 가정하자. 1단계 : 문제가 무엇이냐? 답 : 수익률이 낮아진다. 2단계: 문제의 원인은 무엇이냐? 답 : 가격이 너무 비싸다, 광고 호소력이 약하다, 배달 서비스가 늦다, 신용거래가 약화됐다, 판매사원이 불친절하다 등이다. 3단계 : 가능한 해결책은 무엇이냐? 답 : 가격 인하, 수송차량 구입, 신용 담당 책임자에게 보다 많은 신용 조건 재량권 부여, 보다 좋은 회수 제도를 제정, 판매 사원에게 보너스 제공, 판매 사원 예절교육 실시 등이 있다. 4단계 : 최상의 해결책은 무엇이냐? 답 : 판매 사원이 고객을 좀더 공손하게 응대하는 게 좋겠다. 이런 식으로 동업자와 최상의 해결책을 합의할 수 있다. 때로 최상의 해결책은 제시된 가능한 해결책 중 2~3가지의 결합이 될 수 있다.

5 WHY 기법

우리가 흔히 하는 실수가 어떤 문제가 발생하면 그 결과만 보고 문제를 바로잡으려 한다는 점이다. 그러나 근본 원인이 해결되지 않으면 계속해서 다른 문제가 파생된다. 이를 위한 문제 해결 기법 중 하나로 5 WHY 기법에 대해 말하고자 한다. 5 WHY 기법은 가장 정확한 문제에 도달하기 위하여 문제를 세밀히 조사하는 기법이다. Why? Why? Why? Why? Why? 더 이상 질문이 필요 없을 때까지 근본 원인을 밝혀야 완전한 해결책이 나온다.

토마스 제퍼슨 기념관(Thomas Jefferson Memorial)에서 이 방법을 사용해 문제를 해결했다. "왜 외곽 벽이 심하게 부식되었는가?" 관리 직원들이 돌을 필요 이상으로 청소하기 때문이라는 뜻밖의 사실이 밝혀졌다. 사람들은 저 자극 화학 세제를 사용해야 한다고 지적했지만, 기념관장은 질문을 던졌다. "왜 그렇게 청소하는가?" 그러자, 비둘기 떼가 몰려와 배설물을 배출하기 때문이라고 했다. "왜 비둘기가 몰려드는가?"라고 묻자, 거미를 잡아먹기 위해서라고 했다. "왜 거미가 많지?" 나방이 많이 날아들어 나방을 잡아먹고 사는 거미도 많이 몰려든다. "왜 많은 나방이 몰려드는 것인가?" 해질녘에 켜놓은 기념관 불빛이 나방을 끌어 모았다. 불을 끄자 나방이 날아들지 않았고, 자연히 거미도 사라지면서 비둘기 역시 몰려들지 않았다. 연속적인 질문 끝에 근본 원인을 알아내고 자연스럽게 해결책을 찾은 것이다.

(7) 갈등 및 분노 조절 능력

우리 사회 위기의 정체는 다름 아닌 리더십의 위기다. 리더십이 갈등을 조정하고 분열을 봉합하지 못한다면 그 파장은 깊고 짙다. 리더십이 바로 서야 한다. 지금 우리에게 필요한 리더십은 무엇일까? 갈등을 부르는 리더십이 아니라 통합으로 가는 리더십이다. 설령 매를 맞더라도 그 길을 가야 한다.

갈등(葛藤, conflict)의 어원은 라틴어 'confligere'로 '서로(con) 충돌하다(fligere)'라는 의미다. 한자로는 '칡(葛)과 등(藤) 넝쿨이 서로 엉켜 있음'이다. 단어의 어원에서 알 수 있듯 갈등은 '일이 까다롭게 뒤얽혀 다투거나 대립'하는 것이다. 갈등은 개인적 사유로 일어나는 내부 갈등과 사회 구성원들과의 사이에서 발생하는 구성원 간의 갈등, 조직 간의 갈등 등이 있다.

갈등의 원인과 필요성

직장인들은 흔히 일 힘든 건 참아도 사람 힘든 건 못 참는다고 말한다. 인간관계로 인한 갈등이 일 때문에 힘든 것보다 더 괴롭다는 뜻이다. 갈등 중에서 가장 대표적인 갈등이 감정 갈등인데 이는 분노, 불신, 싫어함, 공포 등에 기인한다.

갈등의 발생 원인은 무엇일까? 갈등은 '목적의 차이', '과정의 차이', '근본적인 가치관의 차이' 때문에 많이 일어난다. 갈등의 원인은 하나이기보다 복합적이다. 갈등의 뿌리는 편견과 선입견에 있다. 두 사람이 대화를 한 시간 정도 나눈다고 가정할 때, 상대방의 이야기를 정확하게 알아

듣는 것은 50%도 채 되지 않는다고 한다. 심지어 이야기의 내용을 정반대로 알아듣는 경우도 드물지 않다고 한다. 이는 모두 자신의 선입견과 지식의 잣대만을 가지고 상대방과 세상과 사물을 평가하는 태도에서 비롯되는 현상이다. 자신은 언제나 옳고, 상대방은 무조건 틀렸다는 선입견의 바탕에 깔린 것은 이기심이다. 이기심을 버려야 한다. 상대방의 허물을 덮어주지 못할 때, 조금만 참으면 될 일을 참지 못할 때, 상대방의 이야기를 끝까지 들어주지 못할 때, 충분한 대화로 의사소통이 되지 않을 때, 사소한 일이라고 무시할 때, 무관심하거나 방치할 때 상대방이 받는 마음의 상처는 깊고, 쉽게 아물지 않는다.

갈등의 본질에 대해 알아보자. 갈등은 언제 어떻게 발생하는가? 여러 경우가 있겠지만 주로 사람 간에 서로 다른 의견이나 목적을 갖고 있을 때 발생한다. 갈등이 모두 나쁜 것은 아니다. 조직은 이런 상황을 사용하여 더 나은 형태로 발전할 수 있다. 서로 다른 관점에서 문제를 바라보며 적극적으로 갈등을 공유할 때 혼자서는 깨닫지 못한 생각이 나올 수 있고, 훨씬 더 지혜로운 의사 결정을 내릴 수 있다.

인간의 역사는 갈등의 역사라고 말할 수 있으며 갈등의 적절한 관리가 리더십의 중요한 연구 과제가 된다. 전통적인 갈등은 피할 수 없는 성질의 것, 문제아가 일으키고 속죄양이 생기는 것이라 생각하며 '갈등의 해소'에 주력해 왔다. 그러나 현재에는 갈등은 불가피한 변화의 본성이고, 최소한의 갈등은 바람직하다고 보는 견해가 우세하다. 그래서 피할 수 없는 것이 아닌 자연적이고 현실적인 성질의 것이라고 여기며 '갈등의 관리'에 초점을 둔다. 어떤 갈등은 창의성, 동기 부여 및 업적에 긍정적이다. 어떤 갈등은 조직원 간의 긍정적인 경쟁력을 촉진시키는 결과를 가져온다.

미꾸라지가 자꾸 병에 걸리고 잘 자라지 않는 양식장에 메기를 몇 마리 넣으면 미꾸라지는 전보다 더 튼튼하게 자란다고 한다. 이처럼 적당한 갈등이 필요한 것이다.

분노 조절 관리

지금은 한마디로 '분노의 시대'다. 분노를 잘 다스려야 한다. 일찍이 벤저민 프랭클린(Benjamin Franklin)은 "분노와 어리석은 행동은 나란히 걷는다. 그리고 후회가 그들의 발꿈치를 문다"고 했다. 분노는 부질없는 것이다. 상대의 비난을 인정하고 문제 해결 방법을 찾아야 한다.

분노의 원인은 무시, 차별, 양극화, 불공정, 소외, 비주류, 비정규직 문제와 특채자 등이다.

군(軍)은 이런 분노 범죄에 안전지대가 아니다. 자신이 왕따를 당하고 있다고 생각하는 순간 총기를 난사해 동료를 살해하는 사건이 발생한다. 문제는, 군에서 이런 분노 범죄가 발생한다면 사회와 달리 대형사고로 이어질 수 있다. 따라서 분노 조절 장애가 더 큰 사건 사고로 나타나기 전에 단기적으로는 운동이나 동아리 활동 등을 통해 신체를 건강하게 만들고 스트레스를 해소하는 데 관심을 두어야 한다. 또 장기적으로는 인간으로서의 존엄성을 바탕으로 하는 가치를 일깨워 줘야 한다. 공동체에 대한 헌신과 남에 대한 배려를 알려주고 인성 교육을 강화해야 한다.

그러나 이 모든 것보다 먼저 본인이 화가 났을 때 그 상황을 일시적으로 벗어나는 것이 중요하다. 분노가 치밀어 올라 폭발하기 전에 그 자리를 피하거나 심호흡을 길게 해서 이성을 회복하는 방법 등이 그것이다.

우리 사회에는 이처럼 욱하는 충동 심리를 억제하지 못하거나 사회적 규범에 적응하지 못하고 대인 관계에서 갈등 문제를 일으키는 분노 조절 장애 환자가 적지 않다. 경찰청 통계로는 폭행, 상해, 협박, 공갈, 약취, 감금 범죄의 절반에 가까운 46%가 우발적 범행이다. 지나친 생존 스트레스, 속으로 삭이다 폭발하는 소통 부족, 자녀 과잉보호, 폭력 게임과 자극적인 드라마를 원인으로 꼽는다. 분노 발작 뒤에는 패가망신이 기다린다. 모든 화(火)는 자기에게 화(禍)로 돌아오기 마련이다. 다른 사람을 배려하고 공감하게 가르치는 심성(心性) 교육이 절실하다.

만약 분노 폭발 상태와 마주친다면 피하는 게 상책이다. 논리적 판단을 할 수 있는 '전두엽' 기능이 순간적으로 마비된 상태다. 만취한 사람처럼 이성적인 설득이나 타협이 도저히 불가능하다. 화가 치밀어 오른 사람은 호흡이 빨라져 가쁜 숨을 몰아쉬고, 주먹을 불끈 쥐면서 온몸에 힘이 들어가고 근육이 경직된다. 아드레날린 같은 스트레스 호르몬이 확 쏟아져 나와 분노가 폭발한다. 이런 상태면 짧게는 30초에서 길게는 3분 정도 전두엽이 작동을 멈춘다. 자신의 행동이 미칠 결과나 파장을 예측하거나 판단할 수 없기 때문에 이성적 설득도 먹히지 않는다.

화가 치솟아 도저히 못 참겠다는 당사자는 심호흡을 통해 분노를 가라앉혀야 한다. 욱하고 화가 날 때 급상승하는 '분노 호르몬'은 15초쯤에 정점을 찍고 조금씩 분해되기 시작해 15분이 지나면 거의 사라진다. 이 순간을 잘 모면하는 것이 화를 다스리는 길이다. 즉, 시비가 붙은 자리를 일단 피하고 더는 눈에 들어오지 않게 한 상태에서 대개 15분 정도면 드높은 분노의 파도가 지나간다. 자리를 피하는 것조차 힘들면 일단 눈을 감고 천천히 심호흡을 15번만 해도 혈압이 떨어지고 근육의 긴장이 풀리면서 화를 누그러뜨리는 데 도움이 된다. 딱 15초만 잘 참아도 크게 후회할 일 없이 분노를 삼킬 수 있다.[30]

인격 장애와 행동 장애로 의심되는 증세는 다음과 같다. ①끊임없이 대인 관계에 문제를 일으킨다. ②충동을 조절하지 못하고 툭하면 분노를 폭발한다. ③항상 뭐든지 자기만 옳다고 우긴다. ④매사를 의심하고 계속 의혹을 제기한다. ⑤사회적 윤리를 어기는 행동을 서슴지 않는다. ⑥분위기에 맞지 않게 언제나 자기 과시에 열을 올린다. 이러한 증세가 보일 때는 관심과 지도가 요구된다.

분노 조절 관리 원칙을 명심하자. ①화가 가슴에 쌓이기 전에 풀어라. 분노는 쌓일수록 증폭해 언젠가는 폭발한다. ②사소한 것에 목숨 걸지 마라. 새치기, 끼어들기 해결 안 됐다고 삶이 크게 안 바뀐다. ③자기가 통제할 수 없는 것은 잊어라. 비행기 결항 문제 따져 봐야 소용없다. 과거보다 앞으로 어떻게 해야 할지 따져라. ④대화에 상대방을 무시하는 감정을 싣지 마라. 구체적이고 객관성 있는 내용으로 화를 표현하라. ⑤함께 발전하는 방향으로 변하자. 각자 불평불만만 늘어 논다고 세상은 변하지 않는다. 서로가 노력해야 한다.

(8) 위기 및 리스크 관리 능력

리더십에서 위기관리는 매우 중요하다. 평소 대응 방식으로는 안 된

---

30 하워드 웨이스(Howard Weiss)와 러셀 크로판자노(Russel Cropanzano)의 '정서적 반응 이론(Affective Events Theory)' 참조.

다. 비상 상황에서는 비상한 방식으로 대응해야만 위기를 이겨낼 수 있다. 위기관리에 실패한 리더는 결코 성공한 리더가 될 수 없다. 예상되는 위기에 대한 시나리오를 만들고 필요한 훈련을 하는 등 평소 각별한 관심과 실질적인 대책이 필요하다.

위기 상황이 아닌 평화시에 리더십을 발휘하는 것은 그리 어렵지 않다. 주어진 여건이 열악하거나 적대적이지 않고, 추종자(부하 직원)들의 협조를 얻어내는 것이 비교적 쉽기 때문이다. 문제는 위기 상황이다. 조직의 존립이 백척간두에 서 있을 때, 즉 개인과 조직이 죽느냐 사느냐의 갈림길에 섰을 때 리더의 리더십이 빛을 발한다. 난세가 영웅을 만든다. 그런데 난세의 영웅은 저절로 만들어지는 것이 아니라 평소에 잘 훈련되고 준비될 때 가능하다.

위기관리

위기는 위험(危險)과 기회(機會)라는 두 단어가 합쳐져 탄생했다. 위기 직면 시 반응을 보면 90%의 사람들은 위기를 위험으로 보고, 10%만이 위기를 기회로 여긴다. 성공하는 사람은 위기에서도 10%의 가능성을 보고, 그곳에서 기회의 땅을 찾아 도전하고, 극복하려고 한다. 위기 속에는 늘 기회가 숨어 있다.

위기와 기회는 동전의 양면과 같다. 관점을 바꿔 생각할 줄 알아야 한다. 장사하는 아들 둘을 가진 어머니가 있었다. 한 아들은 우산을 팔았고, 다른 아들은 짚신을 팔았다. 어머니는 비가 오면 짚신 파는 아들이 걱정되어 울었고, 날이 맑으면 우산 파는 아들이 걱정되어 울었다. 지나가던 나그네가 어머니에게 반대로 생각하라고 알려주었다. 비가 오면 우산 파는 아들이 돈을 벌 테고, 날이 좋으면 짚신 파는 아들이 돈을 벌 테니 말이다. 그 후 어머니는 항상 기뻐하며 웃고 살았다.

신발 회사에서 아프리카에 직원들을 파견했다. 한 직원은 사람들이 맨발로 다녀서 신발 팔기가 어렵다 했고, 다른 직원은 신발을 신기만 한다면 떼돈 번다고 했다. 이 또한 관점의 차이에서 오는 현상이다. 위기가 오지 않으면 기회도 오지 않는다. 도전에 대한 응전만이 위기를 극복한다.

정신과 전문의 에릭 린드만(Eric Lindmann) 박사가 위기를 당했던 사람들을 대상으로 연구했더니 놀랍게도 85%의 사람이 위기를 당함으로써 나쁜 습관을 고치고, 부부관계를 회복했으며, 신앙생활을 하게 되었고, 시간과 물질을 절약하는 등 새로운 전기를 맞았다는 사실을 발견했다. 프랭클린은 자서전에서 젊은 시절 잘난 척하다 위기를 맞아 고립되어 있을 때 남을 비난하는 대신 칭찬함으로써 인생을 성공적으로 바꿀 수 있었다고 밝혔다. 위기가 곧 기회다. 밝은 미래는 현재의 어려움을 기회로 삼아 도전해서 일어나는 자의 몫이다. 길을 가다 큰 돌을 만나면, 어떤 사람은 걸림돌이라 하고 또 다른 사람은 도약의 발판을 위한 디딤돌이라 한다. 위기냐, 기회냐 하는 것은 생각하기 나름이다. 우리의 현재 폭넓고, 위험한 위기를 기회로 활용하는 지혜가 필요하다.

기업 운영이 지금 잘된다고 해서 지속적 생존이 보장되는 것은 아니다. 미래의 새로운 먹거리를 고민하지 않으면 가까운 시일에 사업 기반이 흔들린다. 국가 역시 미래의 생존 전략을 제대로 세워놓지 않으면 치명적인 국난(國難)을 당할 수 있다. 우리 주변에는 생각지도 못한 곳에 큰 위기가 도사리고 있다. 평소에도 우리가 방심하거나 놓치고 있는 점은 없는지 돌아봐야 한다. 위기가 닥치면 거품은 사라지고 실체만 남는다. 리더십의 내공이 시험대에 오르고 능력이 밝혀지는 순간이다. 위기 시 나타나는 현상들을 보면 조직원 간 믿음이 사라지고, 각종 유언비어가 난무하고, 서로의 이익만 추구하다가 결국 조직은 붕괴되고 만다. 이럴 때는 투명한 커뮤니케이션에 기반을 둔 신뢰 회복이 우선이다. 조직이 처한 현실을 숨김없이 정확히 알린다. 조직 내에 떠도는 유언비어의 진위 여부를 밝힌다. 비용 절감, 인원 감축 등 조치에 대한 배경과 기대 효과를 상세하게 설명하고 설득해서 불안을 해소하고 신뢰를 회복할 수 있다.

위기 시에는 관리보다는 현실을 돌파하는 리더십이 절대적으로 요청된다. 위기 때마다 그 빛을 발하는 리더십은 탁상공론보다는 현장 중심 경영으로 직접적인 실천이 매우 중요하다. 우수한 리더라도 조직 구성원들과의 신뢰와 협조가 없다면 위기 극복에 한계가 있음을 명심해야 한다.

크고 작은 조직에서 안전 문제는 매우 중요하다. 안전은 경영의 필수 요소로 CEO가 직접 챙겨야 할 사항이다. 안전 매뉴얼은 있지만 실천 의식이 부족하다. 캠페인 실시로 안전 수칙을 생활화해야 한다. 또한 조직의 작업 계획, 시설 관리에 책임 있는 리더가 매일 아침 꼼꼼히 체크해야 한다. 경영 평가 땐 안전 항목을 중시해야 한다. 안전은 정부엔 규제이고, 기업엔 비용이며, 국민에겐 습관이다. 우리는 평생 안전을 위한 비용과 시간 따위는 무시하고 살아왔지만 이대로 더 이상은 안 된다. 한국인의 습관이 쉽게 달라지기 어려우나 그래도 안전 습관이 몸에 배도록 어렸을 때부터 행동화해야 한다. 안전은 습관이다.

위기에 처한 리더의 모습은 어떤 것일까? 오릿 가디쉬(Orit Gadiesh)는 "리더는 어려운 시기에 동정심을 보일 수는 있지만 감성적이어서는 절대 안 된다. 강인함을 보여줘 직원들에게 든든한 버팀목이라는 인식을 확고히 심어줘야 한다. 참된 리더는 원칙을 바꾸지 않는다. 방향을 바꿀 뿐이다"라고 말했다. 기업의 성패는 '경영자의 능력'에 달려있다. 위기의 돌파구는 리더십에서 나온다.

위기에서 내려진 의사 결정에서 속도와 정확성 중 어느 것이 더 중요할까? 당연한 얘기처럼 들리겠지만 급박한 상황에서는 두 가지가 모두 중요하다. 위기에서 리더는 이런 능력을 모두 갖고 있어야 한다. 위기에서 빠른 속도로 정확하게 판단하는 리더의 능력을 '순간탄력성'이라고 한다. 위기에서는 왜 판단이 탄력적이어야 할까? 위기에 처한 사람은 그 누구든 일단 상황 자체를 낯설게 느끼기 마련이다. 정보도 턱없이 부족하다. 그래서 리더는 원칙을 지키면서도 상황에 맞게 탄력적으로 의사 결정을 내려야 한다. 리더의 순간탄력성이 위기를 어떻게 극복했는지 사례를 살펴본다.

〈사례〉 미국 허드슨 강의 기적

2009년 1월 15일 유에스 에어웨이(US Airways) 소속 1549편 여객기는 뉴욕 라가디아 공항을 이륙하고 얼마 되지 않아 새떼와 충돌해 엔진 2개가 모두 고장이 났다. 공항 관제 센터는 인근 공항에 착륙하라고 했다. 하지만 기장 체슬리 설렌버거 3세(Chesley Sullenberger III)는 여객기가 공항까지 날아가지 못하고 도심에 불시착할 수 있다고 판단했다. 엄청난 피해가 예상됐다. 그는 여객기를 허드슨 강으로 몰아 수면 위에 비상 착륙을 했다. 이후 발 빠른 대응으로 승객과 승무원 155명이 모두 구조되는 '허드슨 강의 기적'을 만들어냈다.

어떻게 이런 일이 가능했을까? 순간탄력성의 첫 번째 비결은 바로 체크리스트다. 부기장 제프 스카일스는 여객기가 강에 제대로 착륙하도록 설렌버거 기장이 침착하게 조종할 수 있도록 도왔다. 그는 위기 상황에서 해야 할 일과 점검 내용을 담은 체크리스트를 펼쳤고, 구체적인 내용을 기장에게 알려줬다. 리더는 위기에서 많은 사안을 고려해야 하기 때문에 스스로 체크리스트를 확인하지 못할 때가 많다. 이를 확인해 줄 참모가 필요하다.

유에스 에어웨이는 사고 발생 3개월 전 100쪽이 넘는 위기관리 매뉴얼을 15쪽으로 대폭 줄였다. 매뉴얼은 길어야 1~2분 안에 읽고 적용할 수 있는 체크리스트 형태가 바람직하다. 위기에서 리더는 심리적으로 압박감을 느낀다. 당황하다 보면 기본적인 사항조차 잊는다. 체크리스트는 기본을 빼먹지 않고 효과적인 의사 결정을 하도록 유도하는 보호막 역할을 한다.

평소 훈련과 실무 경험은 위기를 극복하는 중요한 요소다. 훌륭한 위기 대처 매뉴얼을 갖추어도 평소 훈련하지 않았다면 적절하게 대처하기 어려웠을 것이다. 매뉴얼이 자동차 운전면허 취득에서 필기시험 교재라고 가정한다면 연습은 실기시험과 도로주행에 해당한다. 매뉴얼을 갖췄다는 것은 운전면허 시험에서 필기시험에 합격한 상태다.

설렌버거 기장과 스카일스 부기장은 여객기가 새떼와 부딪치자 훈련에서 배운 3가지 원칙을 적용했다. 3가지 원칙은 비행기가 날도록 최대한 노력하면서, 어떤 경로를 선택해야 할지 찾고, 관제센터, 승무원, 승객 등과 소통하는 것이다. 설렌버거 기장은 사실 비행 시뮬레이터로 수면 위에 착륙하는 방법을 배우지는 못했다. 미국에서 이런 훈련 시설을 확보한 민간 항공사는 없다. 그는 대신 교실에서 이론을 배우고 훈련을 받았다. 조종사의 평소 훈련과 풍부한 경험은 위기에서 시너지를 발휘했다. 설렌버거 기장과 스카일스 부기장은 모두 2만 시간 안팎의 비행 경력을 갖고 있는 베테랑 조종사였다.

위기 발생이 예상되는 상황에서는 최악의 상황을 가정하고 대비해야 최선의 결과가 나올 수 있다. 인간은 대체로 미래의 상황을 긍정적으로 해석하려는 경향을 보인다. 긍정과 부정의 가능성이 거의 같다고 하면 부정적인 상황은 지우기 마련이다. 그래서 인과 관계가 과학적으로 확실하지 않아도 심각한 피해의 가능성이 예상된다면 대비해야 한다. 이것이 바로 사전 예방의 원칙이다.

요약하면 2009년 새떼와 충돌한 여객기 엔진 2개 모두 고장 났지만 수면 위로 비상 착륙해 전원 구조했다. 리더의 정확하고 빠른 판단으로 사고에 대처했다. 매뉴얼과 평소 훈련으로 참사 위기에서 최선의 결과를 만들었다.

리스크 관리

조직을 경영하는 데 가장 큰 리스크는 무엇일까? 만약 사업에 실패했다면 그 속에서 교훈을 얻으면 된다. 그보다 더 큰 리스크는 '준비되지 않은 사람을 리더로 임명'하는 것이다. 이럴 경우 조직에 엄청난 재앙을 몰고 올 수 있다.

잘나가던 연예인이 작은 실수로 하루아침에 나락으로 떨어지는 일을 심심치 않게 볼 수 있다. 또한 국민의 존경을 받던 고위 공직자들이 도덕성에 흠집이 생겨 추락하는 모습을 보면서 자기 관리의 중요성을 실감

한다. 철저한 자기 관리가 중요하다. 최근에는 투명한 사회가 되어 금전 사고, 음주 관련 사고, 성(性) 관련 사고 등은 숨겨지지 않고 사람을 추락하게 만든다.

2015년 도미니크 바튼(Dominic Barton) 맥킨지 회장은 방한 인터뷰에서 "어차피 리스크는 피할 수 없다. 민첩한 자만이 살아남는다. 세상의 흐름이 빨라진 만큼, 기업도 속도를 내지 않으면 도태되기 쉽다. 한마디로 한쪽 눈엔 현미경, 다른 쪽 눈엔 망원경을 써야 한다. 거시적인 부분뿐만 아니라 당장 이번 달 매출 같은 미시적인 부분까지 한 번에 신경을 써야한다. 복합적인 시각을 통해 다양한 관점을 염두에 둬야 한다. 너무나 빨라진 변화 시대다. 위기를 맞아도 무너지지 않고 빠르게 재생하는 능력이 이 시대 기업들에 가장 필요한 키워드다"라고 하였다.

리스크 관리, 이제는 선택 아닌 필수 사항이다. 독일의 사회학자 울리히 벡(Ulrich Beck) 교수는 현대 사회를 '리스크 사회(Risk Society)'로 불렀다. 현대화 과정의 부산물로 당면하고 있는 많은 리스크들이 생겨났다는 게 요지다. 요즘 보면 대한민국이 대표적인 리스크 사회가 된 것 같다. 리스크는 피한다고 피할 수 있는 문제가 아니다. 과학 기술의 발전에 따라 새로운 리스크가 등장하니 우리 사회가 발전할수록 불확실성은 점점 커지기 마련이다. 이에 대안으로 나온 것이 '리스크 관리(Risk Management)'라는 개념이다. 우리는 노령화 리스크, 신용 리스크, 북핵 위기에 대처하는 외교 안보 리스크 등을 겪고 있다. 조직이 지속적으로 성장하고 발전하기 위해서는 리스크 관리 시스템을 확산시켜야 한다. 조직의 특성을 고려하여 상황에 맞게 리스크를 파악하고 대비책을 강구해야 한다.

다음은 조직 리스크 관리에 대해 알아본다. 갖가지 사고 위험에 노출되어 있는 기업들은 사고가 일어나기 전에 잠재적인 리스크를 찾아내 미리미리 관리 하는 것이 필수다. 리스크는 국제 정세와 같은 외부 요인에 의한 것과 기업 내부 요인에 의한 것으로 나눌 수 있다. 외부 요인은 예측 및 통제가 어렵지만 내부 요인은 노력하면 관리가 가능하다.

내부 요인을 자세히 살펴보자. 첫째는 '직원들의 부주의와 스킬 부족'이 불러오는 리스크다. 이 리스크에 대한 해법은 조직 내에서 반복적으로 실수가 발생하는 포인트를 찾아내고, 이 업무를 표준화하는 것이다. 둘째는 '직원들의 고의적 행동'이 불러오는 사고와 손실이다. 윤리적 문제와 결부되기 쉬운 이런 종류의 리스크는 사실 그 어떤 것보다 더 큰 치명타를 회사에 입힐 수 있다. 이를 관리하기 위해서는 '감시 및 통제 시스템'을 강화해야 한다. 기업에서는 하루에도 수많은 실수와 사고가 일어난다. 이런 작은 문제들이 대형 사고로 이어지지 않도록 리스크 관리에 앞서 '실수를 자유롭게 드러낼 수 있는 조직 문화'를 갖춰야 한다. 직원들이 리더의 호통이나 징계가 무서워 조직 내 문제를 감추려고만 한다면 제대로 된 문제 파악이 불가능해져, 리스크 관리를 시행할 기회조차 잃게 될 것이다. 작은 실수까지도 공유하며 그 개선 방안을 모색할 때, 조직은 위험으로부터 멀어질 수 있다.

아무리 리더십이 뛰어나고 업적 실적이 좋아도 도덕성, 청렴성, 주변 관리 등에 관한 리스크 관리를 소홀히 하면 끝장난다. 자기 관리가 어느 때보다 중요한 시대가 되었다. 지금은 감출 수가 없는 세상이다. 윤리성이나 도덕성에 문제는 없는지, 금전 관리는 투명하게 이루어지고 있는지, 사적 이해관계에 의해 업무를 처리한 것은 없는지 짚어봐야 한다.

필자가 공공기관장으로 부임하여 제일 먼저 시행한 일이 리스크 관리를 위한 매뉴얼 작성과 이를 훈련하는 일이었다. 조직 내에서 일어날 수 있는 위험 요인을 분석하고 리스크를 도출해, 그에 대한 자동적인 조치를 할 수 있는 매뉴얼을 작성하고 그 내용을 관리한 것이다. 실제로 조직 주변에서 매뉴얼에 있는 돌발 상황이 발생했을 때 이를 적용해서 도움이 되었다.

(9) 유머 능력

말을 어떻게 하느냐에 따라 천 냥 빚을 갚을 수도 있고, 상대에게 미움을 살 수도 있다. 최근 각광받는 '유머 감각'은 그저 웃기기만 하는 것이 아니다. 긴장을 풀 수 있도록 웃게 하고, 적절한 타이밍에 감동을 주는 화술을 말한다.

왜 리더에게 유머가 필요한가? 바닷물이 썩지 않는 것은 3%의 소금 덕분이다. 유머는 리더에게 소금과 같은 역할을 한다. 난처한 상황을 극복하게 해주고 어색한 관계를 회복시켜 주는 것이 유머의 힘이다. 백 마디 실수도 재치 있는 유머 한 마디로 덮을 수 있다. 게다가 유머는 건강도 지켜준다. 100세 이상 장수하는 분들의 공통점은 소식(小食)과 유머다. 웃음의 기원은 라틴어로 건강이라고 한다. 유머로 무장하고 많이 웃으면 건강이 획기적으로 좋아진다. 긍정적이고 적극적인 삶은 적절한 유머 감각을 갖게 한다. 로널드 레이건(Ronald Reagan) 전 미국 대통령은 뛰어난 유머 감각으로 대중의 인기를 사로잡았다. 위기를 웃음으로 극복할 수 있는 지도자의 능력은 풍부한 유머 감각의 발휘에서 나온다.

사람들은 재미있는 사람을 좋아한다. 재미있어야 친밀감을 느낀다. 성공하는 리더가 되려면 유머를 잘 사용해야 한다.

웃음에 대한 명언과 속담을 소개한다.

웃는 사람은 실제적으로 웃지 않는 사람보다 더 오래 산다. 건강은 실제로 웃음의 양에 달렸다는 것을 아는 사람은 많지 않다.

- 제임스 월시

당신이 웃고 있는 한 위궤양은 악화되지 않는다.
- 패티우텐

우리는 행복하기 때문에 웃는 것이 아니라 웃기 때문에 행복하다.

- 윌리엄 제임스

유머 감각이 없는 사람은 스프링이 없는 마차와 같다. 길 위의 모든 조약돌마다 삐걱거린다.
- 헨리 와드비처

당신은 웃을 때 가장 아름답다.
- 칼 조세프 쿠 셀

웃으면 복이 온다.
한 번 웃으면 한 번 젊어지고, 한 번 화내면 한 번 늙는다.
웃는 얼굴에 침 뱉으랴.

밥 돌(Bob Dole)의 저서인 『대통령의 위트』를 보면, 사람은 웃을 수 있는 거의 유일한 동물이다. 갓 태어난 아기는 하루에 대략 400회 정도 웃지만 어른은 하루에 평균 4회도 웃지 않는다고 한다. 웃을 때는 뇌도 활성화된다. 미국 UCLA 병원의 연구 결과에 의하면 '웃음은 부교감 신경을 자극해서 긴장을 이완시켜 주고 자율 신경을 조화롭게 한다. 웃으면 건강해진다. 자주 웃으면 혈관을 흐르는 피의 속도가 빨라져 심장병과 동맥 경화를 예방한다. 또한 침 속의 글로불린 A(바이러스 감염을 막는 면역체)가 증가한다'고 했다.

유머 감각과 위트 능력은 선택이 아닌 필수다. 유머와 위트[31]는 상대방의 호의적인 반응을 이끌어내고 삶에 활력소를 제공하는 명약이다. 위엄으로 군림하던 시대는 끝났다. 유머로 함께 웃어야 리더다. 카리스마로 휘어잡던 시대도 끝났다. 위트를 즐겁게 이끌어야 리더다.

처칠(Winston Leonard Spencer Churchill)의 유머 리더십이야 말로 우리가 배워야할 지혜다. 처칠은 장군 출신이면서 영국 수상으로서 2차 세계 대전을 승리로 이끈 영웅이다. 그를 세기적인 인물로 만든 원동력은 무엇일까? 그것은 그의 재치 넘치는 유머 감각에 있다. 유머는 그의 경쟁력이며 방어 전략이고 자신을 세상에 들어내는 핵심 역량이었다. 그의 유머에는 마치 전차가 포탄을 쏘아내듯 순발력과 타이밍, 역동적인 힘이 넘쳐났다. 그를 평가하는 후세인들은 그를 두고 유머 정치의 대가

---

31 유머(humor)란 남을 웃기는 말이나 행동, 우스개, 익살, 해학과 동의어이다. 위트 (wit)는 말이나 글을 즐겁고 재치 있고 능란하게 구사하는 능력이다. 기지, 재치와 동의어이다.

라고 부른다. 어려운 정치 현안이 여야 입씨름으로 번져 혼잡할 때일수록 그의 유머 정치력은 빛을 발했다. 그는 정치인으로서 늘 어려운 상황을 피하지 않고 정면 돌파하는 기질을 갖고 있었다. 그러면서도 상대로부터 존경을 받고 반감을 사지 않았던 이유는 위트 있는 부드러운 유머 감각 때문이었다.

언젠가 그의 늦잠 자는 버릇이 의사당에서 의원들의 입에 오르내리고 있었다. "위스키나 마시고 오전 내내 잠자리에 있는 처칠에게 영국을 맡길 수 없소!" 하고 반대당 의원이 말하자 그는 재치 있게 응수했다. "당신도 나처럼 예쁜 마누라하고 살아봐요. 아침에 일찍 일어나는 게 얼마나 어려운 일인지 알 거요. 대신 다음부터는 회의 전날 밤에는 아내와 각방을 쓰겠소." 어느 모임에서 한 여인이 처칠에게 다가와 이렇게 속삭였다. "의원님, 지퍼가 열렸어요." 그러자 처칠은 웃으며 말했다. "걱정 말아요. 죽은 새는 새장 밖을 나오는 법이 없으니까요." 처칠이 이끄는 보수당이 총선에 패해서 수상 자리가 노동당 당수인 애틀리(Clement Richard Attlee)에게 넘어갔을 때였다. 대기업의 국유화에 대한 논쟁이 한창 가열 중이던 어느 날 휴식 시간에 처칠이 화장실에 들렀다. 그런데 화장실은 의원들로 만원이었다. 오직 하나 애틀리의 옆자리가 비어 있었다. 그러나 처칠은 그 자리에서 소변을 보지 않고 다른 자리가 날 때까지 기다렸다. 그러자 애틀리가 처칠에게 말했다. "제 옆에 빈자리가 있는데 왜 가만히 계신 거죠? 나한테 무슨 감정이라도 있습니까?" 그러자 처칠은 이렇게 응수했다. "당신 옆자리에 가려니까 괜히 겁이 납니다. 당신은 뭐든지 큰 것만 보면 국유화를 하자고 해서, 혹시 제 것을 보고 국유화하자고 할까봐 겁이 납니다." 처칠은 유머로 공격하고 유머로 방어하는 천재였다. 개인적으로나 국가적으로 혹은 성공이나 실패 시에도 그의 입가에는 익살스러운 유머가 주렁주렁 열려 있었다.

유머 능력을 키우려면

필자는 스스로를 말주변이 없고, 재미없는 사람이라고 생각했다. 하지만 웃음이 만병통치약이요, 어색하고 딱딱한 분위기를 바꿀 수 있는 방법이란 사실에 주목하고 유머에 관심을 갖기 시작했다. 어떻게 하면 유머를 잘할 수 있을까하고 말이다. 필자가 터득한 방법을 소개한다. 먼저, 유머 능력의 기본은 책을 통해 길러진다. 유머가 생활이었던 처칠은 어린 시절 언어 장애를 극복하기 위해 좋은 문장을 큰 소리로 읽고 또 읽었다고 한다. 유머의 소스는 신문, 방송, 정기 간행물, 모임에서 들은 이야기 등에서 얻는다.

둘째, 상대방을 관찰하는 것이 중요하다. 사람들은 자신과 관련된 이야기, 관심을 가지고 있는 이야기에 반응한다. 평소 눈여겨보고, 그 사람들이 좋아하는 이야기에 유머 소스를 더해보자.

셋째, 유머를 잘하려면 연습을 해야 한다. 재치 있는 입담을 타고난 사람도 있지만 대체로는 노력한 만큼 능력을 키울 수 있다. 재미있는 내용을 먼저 듣고, 그것을 먼저 자기 가족에게, 친구들에게, 그리고 조직 구성원들에게 활용해 보고 반응을 보면서 자기 것으로 만들어 가면 된다.

필자는 지휘관이나 참모 시절, 언제 들어도 재미있는 명품 유머를 5개 이상 적어 다니라고 간부들에게 늘 말하고, 휴대 가능한 필기수첩을 배포해 활용하도록 했다. 계룡대에 있는 육군본부에 근무할 때였다. 초반에는 부하직원들이 보고하러 사무실에 들어올 때 긴장이 역력한 모습으로 오곤 했다. 그런 점을 해소해 주려고 체력 단련장에서 운동을 하면서 재미있는 농담도 나누고, 명품 유머도 들려주었다. 그러자 경직되었던 모습이 점점 풀리고, 보고할 때도 긴장감 없이 자연스럽게 하고 싶은 얘기를 다 하는 분위기로 바뀌었다. 지휘관 시절에 회식 자리에서 어떤 가족이 말하기를 "지휘관님, 우리 신랑이 달라졌어요. 세상에 말주변도 없고 유머 같은 것은 생각도 못 했는데, 우리 남편이 농담을 다 해요" 하면서 흐뭇해하던 모습을 지금도 잊지 못하고 있다. 유머를 듣는 매너도 필요하다. '내용을 알더라도 모른 척', '재미가 없어도 재미있는 척' 웃어주는 것이다. 그래야 유머를 하던 사람이 멋쩍어하지 않고, 다음에는 더 재밌는 유머를 말하게 될 것이다.

펀 경영

많은 학자들은 미래의 직장을 '재미있게 일하고, 재미있게 노는 곳'이 될 거라 전망하고, 지금부터 그런 분위기가 조성되고 있다. 재미가 없는 것은 어떤 이유에도 용서가 안 된다. 급여와 복리 후생이 평범하더라도 재미가 넘쳐나는 회사라면 종업원들은 좀처럼 이직을 하지 않는다.

1990년대 초 미국에서 일기 시작한 '펀 경영(Fun Management)' 열풍은 이제 글로벌 경영 트렌드로 자리 잡았다. 미국의 사우스웨스트 항공사는 20년간 미국 항공사로는 유일하게 단 한 차례의 노사분규도 겪지 않았다. 오찬석상에 가수 엘비스 프레슬리(Elvis Presley) 복장으로 등장하는 등 괴짜로 알려진 펀 경영의 달인 허브 켈러허(Herb Kelleher) 회장은 "비즈니스는 재미있을 수 있고 또 재미있어야 한다"는 철학을 가지고 있다. 결국 사우스웨스트 항공은 재미와 유머로 직원들의 사기를 북돋워 자발적인 헌신과 창의력을 이끌어낸 대표적인 기업이 되었다.

유머 경영은 경영자에게도 큰 '무기'가 되고 있다. 2005년에 국내 경제 주간지들이 '2005년의 경영 키워드' 중 하나로 '웃음'을 꼽았을 정도다. '유머 경영이 임직원에게 신뢰와 자부심을 심어줘 훌륭한 일터를 만든다'는 보고서가 쏟아지면서 유머 관련 학원이 호황을 누리고 있다. 유머가 기업의 생산성 향상과 조직 활성화에 도움이 된다는 생각이 확산되면서 채용에 있어서 유머가 없는 사람보다 유머가 풍부한 사람을 우선적으로 채용하는 경향도 보인다.[32]

이렇듯 흔히 펀 경영, 신바람 일터 만들기, 유머 경영 등의 다양한 이름으로 국내에 소개된 신바람 경영은 최근 몇 년 사이 빠른 속도로 확산되는 추세다. 펀 경영, 또는 신바람 경영의 궁극적 목표는 직장을 즐겁게 일할 수 있는 놀이터로 만들어 일하는 구성원 각자의 열정과 몰입을 자연스레 꺼내어 만족도를 높이고 성과를 향상시키는 데 있다. 이를 돕는 것이 직장 내 '펀 문화(Fun culture)'의 확산이다. 펀 문화를 창출하고 확산하는 주체가 반드시 경영자일 필요는 없고 직원들 스스로가 즐겁게 일하는 일터를 구축하는 데 앞장서는 것이 바람직하다. 한마디로 직원들이 '회사에 오고 싶어 미치도록 만드는 것'이 펀 경영의 궁극적인 목표가 되어야 한다. 회사 내에 오락기, 만화, 대형스크린을 설치해 스트레스도 풀고 기분 전환도 하는 '펀 스테이션(Fun station)'을 설치하는 것도 펀 경영의 일환이 될 수 있다.

---

32 김성국, 『인적자원관리 5.0』, (탑북스, 2011), 335~337쪽.

제 5 장

리더는
어떻게 만들어지는가

1절 학습을 통해 얻는 리더십

오늘날 대부분의 조직은 리더십 결핍 현상을 겪고 있다. 하지만 이 문제는 조직의 관리자들이 재능이 없거나 열성이 부족해서 생기는 일은 아니다. 시대가 변하고 환경이 빠르게 바뀌면서 기업이나 군대, 정부를 비롯한 모든 분야에서 요구하는 리더십이 점점 더 증가하고 있고, 그 모든 요구를 충족시키기가 쉽지 않기 때문이다.

미국의 소설가 호손(Nathaniel Hawthorne)이 쓴 『큰 바위 얼굴』에 '리더십은 타고나기보다는 길러지는 것입니다. 끊임없는 자기 성찰과 자각, 삶에서의 실천을 통해 몸에 배게 되는 것입니다. 그리고 리더로 성장하는 길은 오랜 세월이 걸리는 것이며 결코 끝이 나지 않는 길입니다'라는 말이 나온다. 리더십은 타고나는 것보다 길러지는 것이라고 말하고 있다.

리더십을 기르고 싶다면 경력 초기에 도전적인 업무를 맡는 것이 중요하다. 20~30대 초반부터 실질적인 리더의 역할을 수행하고 위험을 감수한다면 성공이든 실패든 경험하며 리더십을 배울 기회가 생길 것이다. 이런 경험은 리더로서의 시야를 넓혀주고 자신만의 문제 해결 방식을 갖추게 해준다. 또한 변화를 과감하게 추진할 수 있는 가능성을 일깨워준다.

경력 후기에는 리더십 역할을 포괄적으로 배울 수 있는 기회를 갖는 것이 중요하다. 중요한 직책에서 리더십을 잘 발휘하고 있는 사람들은 그 임무를 맡기 전에 이미 다양한 경력 개발의 기회를 얻어 폭 넓은 경험을 한 사람들이 대부분이다. 부서 이동이나 태스크포스팀(TF), 경영자 리더십 교육 과정 등의 프로그램이 도움되기도 한다. 폭넓은 지식과 경험은 리더십 배양에 반드시 필요하다.

리더십을 개발하라

리더는 태어나는가, 육성되는가? 이 질문은 지난 100여 년 동안 계속되어 왔다. 과거에는 '리더가 태어난다'는 말을 인정하는 분위기였지만 지금은 그렇지 않다. 최근 하버드 대학교에서 쌍둥이를 대상으로 실시한 실험에서 타고난 유전적 성향은 25%밖에 영향을 미치지 못하며, 나머지 75%는 후천적 학습에 더 많은 영향을 받는다는 연구 결과가 나왔다. 물론 타고난 성향과 품성도 중요 하지만 노력과 실천 여부에 따라 짐 콜린스가 말하는 '위대한 리더(Great leader)'가 얼마든지 탄생할 수 있다.

경영의 대가 피터 드러커는 딱 잘라 말한다. "타고난 리더도 없지는 않습니다. 그러나 그 수는 극히 적습니다. 리더십은 학습을 통해 얻어지기 때문입니다."

'리더는 타고나는 것'이라는 고전적 믿음을 무너뜨린 사람이 리더십 이론의 대가인 워렌 베니스다. 그는 "리더는 타고나는 것이 아니라 만들어지는 것이다. 아무나 훌륭한 리더가 될 수는 없으나, 그렇다고 훌륭한 리더가 될 수 있는 사람이 정해져 있는 것도 아니다"라고 말한바 있다.

이 문제는 대단히 중요하다. 리더십이 탄생과 더불어 형성되는 속성이라고 생각하는 사람은 여러 가지 리더십 역할에 대해 책임 의식을 가질 이유가 없다. 그저 조상들을 비난하면 그만이다. 하지만 리더십을 후천적 기술이라고 생각하는 사람은 책임을 느끼게 마련이다. 그리고 리더십 역량을 극대화하는 방법을 찾게 된다.

유능한 리더가 되기 어려운 사람들도 분명히 있다. 하지만 그 비율이 채 10%도 되지 않는다. 다시 말해 건강한 대인 관계를 유지하기 어려울 정도의 심각한 성격 장애나 정신적, 감성적 장애를 가진 소수를 제외한 대다수 사람들이 유능한 리더의 가능성을 가지고 있다는 뜻이다. 이처럼 리더십은 대다수 사람들의 내면에 존재하며 계발의 시기를 기다리고 있는 잠재적 기술이다.

여기서 기술이란 '학습하거나 체득한 능력'이라고 정의한다. 리더십이 하나의 기술이라고 할 때, 이 정의는 리더십이 대다수 사람들에게 해당되는 요소임을 의미한다. 리더십 기술을 개발하는 일은 농구나 피아노, 골프, 비행기 조종술을 배우는 것과 크게 다를 게 없다. 누구든 노력하면 자기 분야에서 조금 더 능숙한 존재로 거듭날 수 있다. 그러기 위해서는 의욕을 가지고 꾸준히 노력해야 하며 엄격한 자기관리가 필요하다. 여기에 합리적 수단과 행동, 목표치가 수반된다면 분야에 상관없이 자신의 기술을 획기적으로 향상시킬 수 있다.

리더십 기술을 개발했다고 해서 아무라도 대기업을 운영하거나 한 나라를 통치할 수 있다는 뜻은 아니다. 그러나 누구든 자신이 꿈꾸는 최선의 리더가 될 수는 있다.

리더로서의 현재 지위는 과거에 내린 수많은 선택의 결과이다. 미래를 위해서는 현재 수많은 고민을 하고 선택을 해야 한다. 누구는 자신의 인격을 더 발전시키겠다는 선택을 할 수 있고 누구는 현재의 나와는 조금

다른 미래의 나를 만들겠다는 선택을 할 수 있다. 계속하여 리더십을 개발하는 것 또한 당신의 선택에 달려 있다.

리더십은 어떻게 개선돼야 하는가?

국가나 조직을 이끌어 가는 중요한 리더가 되려면 상당한 경험과 경륜을 쌓은 예측 가능한 사람이 선발되고 진출되어야 한다. 그러려면 어느 직종에서든 최소한 20여 년의 직무 경험을 통해서 국가 안위와 국가 이익이 무엇인지 알아야 하고, 사명감과 윤리성, 공공성, 책임감 그리고 효과적인 업무 수행을 위한 전문성 등을 구비해야 한다. 그렇지 못하고 어느 날 갑자기 조직의 중요한 리더의 위치에 오른다면, 성공적인 리더십 발휘를 하지 못하게 되고 소속된 조직에 심대한 피해를 주게 된다. 이러한 어려움을 극복하기 위해서는 리더십의 본질, 존경받는 리더상의 정립, 리더와 리더십에 대한 이해, 리더가 갖추어야할 리더 핵심 역량, 리더 양성을 위한 수업을 어떻게 할 것인지에 대한 개념 정립이 선행되어야 한다.

선거로 선출되는 정치 리더들인 대통령과 국회의원, 지자체 단체장, 정부에서 주요 정책 결정에 직접 참여하는 국장급 이상 공무원들, 기업에서 부장급 이상, 군대에서 연대전투단을 편성하여 독립 전투를 수행할 수 있는 연대장급 이상의 지휘관들은 고도의 업무 전문성과 효과적인 리더십 능력을 구비한 사람이 선발되어야 한다.

군대는 일찍이 미국 군대의 제도를 이식하여 선진국 교육 시스템을 벤치마킹하였고, 기업은 국제 환경에 적응하고 경쟁에서 살아남기 위해 비즈니스 리더십 교육을 활발하게 시행하고 있다. 정치 리더나 공무원 리더들이 사명감이나 책임감, 전문성 등에서 기업 리더십과 군대 리더십을 따라가지 못하는 실정이다. 예를 들면 군 리더 양성의 경우, 직급에 따른 필수 교육 과정 이수와 그 성적에 따라 승진 및 보직을 부여함으로써 사명감, 책임감, 전문성 등을 기르는 제도가 있다. 군대에는 병과제도가 있어 보병이나 포병 등은 리더십을 갖추고 전 조직을 지휘할 수 있는 제너럴리스트를 양성하고 있고, 병참, 병기, 수송 등 특수 병과에서는 그 분야에 전문성을 지닌 스페셜리스트를 양성하고 있다. 반면, 공무원 사회에는 군대처럼 각 분야의 전문성을 살릴 수 있는 병과 개념이 없고, 행정고시를 통과하면 장래가 보장되는 상황이라 급변하는 시대의 흐름에 둔감하여 사회 발전에 부응하는 행정 서비스를 펼치지 못하고 있다. 전문성 함양을 위한 제도적 장치가 미흡하고, 제너럴리스트와 스페셜리스트를 양성하는 제도 또한 미흡하다.

여러 분야의 리더들의 리더십 능력 발전을 위한 몇 가지 방법을 제시한다.

첫째, 리더는 항상 방향 감각이 있어야 한다. 얼마 전 출간된 김재철 동원그룹 회장의 평전(評傳)에 항해하는 배의 선장은 세 가지를 정확히 알아야 한다는 이야기가 나온다. 젊은 날 원양어선을 몰고 참치를 잡는 동안 폭풍의 한 가운데서 수차례 사선(死線)을 넘었던 경험에서 나온 말은 "지금 내 배가 어디에 있는가? 내 배가 가고자 하는 목적지의 좌표(座標)가 어디인가? 항로(航路)를 제대로 잡고 있는가?"였다. 이처럼 리더는 현재의 위치와 상황, 나아갈 방향에 대해 항상 유념해야 한다. 평소 국가의 존재 목적에 대한 이해 및 국가 이익과 안위에 대한 기본적인 개념을 숙지하고, 직종에 상관없이 리더십의 궁극적인 목적인 공공선(公共善)을 실현하여 더 좋은 세상을 만들겠다는 사명감과 책임감, 윤리성, 공공성을 품어야 한다.

둘째, 조직 내에 리더십 능력 향상을 위한 체계적인 교육 훈련 시스템을 갖춰야 한다. 리더의 전문성 함양을 위한 교육은 군대나 기업이 앞서 있다. 정치 리더나 공직 리더들의 양성 교육 체계가 미흡하니 군대나 기업의 리더십 양성 체계를 벤치마킹할 필요가 있다. 정치 수준의 질(質) 향상을 위해 정당(政黨)에서 체계적인 정치 교육과 전문성 함양을 위한 체계를 갖추어야 하고, 공무원 사회에서도 전문성을 향상시키기 위한 실질적이고 구체적인 교육 훈련 체계를 정비하고 도입하여 리더십 향상 교육을 해야 한다. 정치 리더나 공직 리더들이 현실에 너무 안주하고 있어서 국민들에게 꿈과 희망을 주지 못하고 있다.

셋째, 인터넷 시대에 요구되는 리더십은 신뢰와 소통의 리더십을 구사할 수 있어야 한다. 무엇보다 대화와 소통을 중시하는 리더십 구축이 핵심이다. 인터넷 시대에는 무엇보다 탄력적인 소프트 리더십이 필요하다. 디지털 시대에 아날로그 리더십으로는 미흡하다. 사이버 세계와 현실 세계를 손쉽게 넘나들어 기동력을 발휘하는 네티즌과 상대하려면 역시 그들처럼 유연하고 신축적인 리더십을 보여줘야 한다. 경직된 하드 리더십은 저항감을 유발한다. 인터넷 시대에 요구되는 리더십은 부드럽고 듬직함을 겸비한 '맏형 리더십'이다. 인터넷 세대들은 감성주의적 성향이 강하기 때문에 개인적 자존심, 나아가 민족적 자존심을 건드리면 무섭게 폭발한다. 섬김의 리더십을 행동으로 보여주고, 네티즌 세대의 마음을 사로잡기 위해 신뢰감과 도덕적 권위, 공감대를 주는 소프트 리더십이 필요하다.

성공적인 리더십 개발

요즘은 어느 곳이든 무엇보다 훌륭한 리더가 필요한 시대다. 정부부처, 기업, 단체, 군대 등 많은 집단을 이끌어갈 여러 유형의 리더가 필요하다. 한 나라를 이루는 이 많은 조직이 마땅한 리더를 찾지 못한다면 조직은 물론 국가도 쇠락의 길을 걷게 될 것이다. 그만큼 리더는 중요하다.

나폴레옹 군대를 워털루에서 격퇴시키고, 나라를 위기에서 구한 웰링턴(Duke of Wellington) 장군이 런던으로 돌아오자 영국 국민들은 열렬히 환영하면서 '어떻게 그런 놀라운 통솔력을 발휘할 수 있었는지' 물었다. 그는 "워털루 전쟁에서의 나의 지휘력은 소년 시절 이튼 학교(Eaton School)에서 익힌 것이다"라는 유명한 말을 남겼다. 명문 이튼 학교의 전인적 교육이 위대한 장군을 길러 냈고, 여기에 길러진 리더십을 그는 위기의 순간에 마음껏 발휘했다는 말이 된다.

백기복 교수는 저서인 『이슈 리더십』에서 성공적인 리더십 개발 요인에 대해서 적절한 투자, 효과적인 방법, 수용적인 문화가 필요하다고 피력했다. 재정적으로 적절한 규모가 투자되어야 하고, 개발 목적과 주제에 맞는 효과적인 방법을 사용해야 하고, 개발된 리더십 스킬이 현업에서 제대로 활용될 수 있도록 수용적인 문화가 형성되어야 한다.

먼저, 적절한 투자다. 리더십 개발에 투자하는 것은 긍정적인 혜택을 가져오는가? 한 조사에 따르면, 기업 CEO들의 85%가 리더십 개발이 기업 경영 성공에 매우 중요하다고 응답했다. 2003년 IBM이 리더 육성에 투자한 금액은 11억 달러에 이르며, 이 회사 CEO가 리더 육성에 투자하는 시간은 전체 근무시간의 약 30%에 이른다고 한다.

둘째는 효과적 방법이다. 한국에서의 리더십 개발 방법은 매우 다양해졌다. 리더십 개발 방법에는 직접 강의, 토론 및 발표, 사례 학습, 비디오·오디오 활용, 시뮬레이션, 진단과 피드백, 액션 러닝, 코칭, 멘토링, 독서 통신, E-leaning, 네트워킹 등 다양한 방법들이 있다.

리더 양성의 가장 효과적인 방법은 임무 순환, 도전적 과제 부여, 직무순환, 코칭, 멘토링 제도를 활용하는 것이다. 선(先) 교육, 후(後) 보직으로 보직 순환을 하는 것이다.

리더십 교육

어떤 리더가 좋은 리더일까? 리더십은 두 가지로 나눌 수 있다. 먼저, 뻔한 목표와 일의 방향을 정해 놓고 조직원에게 각자 업무를 맡겨 놓은 다음, 성과가 나오면 보상하고, 그렇지 않으면 불이익을 주는 '거래적 리더십'이 있다. 한편 조직원이 신나게 일할 수 있는 분위기를 만들어 개인이 스스로 목표를 정하고 능력 이상의 열정을 발휘하도록 하는 '변혁적 리더십'이 있다. 현재는 '변혁적 리더십'의 시대다.

새로운 시대에는 새로운 리더십이 필요하다. 권위주의 시대의 종말과 더불어 권위적인 리더십 또한 과거로 물러났다. 조직 내부로부터 만들어진 가치와 목표, 개성에 기초해 창조적 아이디어, 원활한 커뮤니케이션, 합의와 설득, 분권화된 책임이 필요한 세상이 되었다. 하버드에서 가르치는 리더십 3단계는 ①의사 결정을 위한 분석 기술 습득, ②중간 관리자의 관리 능력 함양, ③최상의 리더가 되기 위한 리더십 발휘다. 이런 주제로 40여 개의 리더십 과목이 개설되어 있다.

하버드 리더십 교육의 핵심은 무엇인가? 리더의 기본 기술로 '정보에 근거한 의사 결정'을 강조한다. 아무리 급한 결정일지라도 이용할 수 있는 모든 정보를 수집, 활용해야 한다. 리더의 결정에 따라 조직의 미래가 정해지기 때문이다. 관리 능력 중 전문성을 확보하는 것이 무엇보다 중요하다. 이 시기에 요구되는 리더십 기술은 현장에서 필요한 구체적인 것들이다. 전략과 전술 수립, 구체적인 목표 설정, 커뮤니케이션 기술 함양, 협상술 등이 중요하다. 조직에서 최고의 리더가 되면 데이비드 게르겐(David Gergen) 교수가 주장하는 '하나의 예술'로서 리더십이 요구된다. 분석 기술과 관리 능력을 배양한 후, 이제는 조직을 대표해서 본격적인 리더십을 발휘해야 하는 단계에 이른 것이다. 리더는 조직의 근본 가치와 비전을 창출해야 한다. 비전은 조직의 현재와 미래를 연결시키는 것이며, 조직을 하나로 묶는 아교와 같은 역할을 한다. 최상의 방법은 우리가 살아갈 좀더 좋은 사회, 더 행복한 사회를 만드는 데 있다.

하버드에서는 리더십을 어떻게 교육하는가? 대부분 토론식 수업이다. 또한 스터디 그룹을 통해서도 서로 배운다. 학생들은 다음의 리더십 분석 틀을 사용해서 케이스를 분석한다. ①상황 이해, ②문제 파악, ③전제 조건, ④핵심 이슈 규명, ⑤행위자들, ⑥그들의 입장, ⑦추론의 근거, ⑧논거에 대한 반론, ⑨주장과 반론의 비교 단계를 거친다. 하버드 리더십 교육은 교실에서 끝나지 않는다. 각종 세미나, 회의, 브라운 백 런치

(Brown bag lunch)를 통해서도 이루어진다.

훌륭한 리더십을 어떻게 키워줄 것인가? 단계별 리더십 계발과 자기 성찰적 사고의 함양, 커뮤니케이션 기술 강화와 경력 관리, 약점 극복하기 등을 익히면서 리더십의 성취와 후계 문제 등도 가르쳐야 한다.

리더십은 경영학, 심리학, 철학, 문화가 모두 포함된 학문 분야다. 소통이 가장 중요하며, 완성도를 높이는 노력이 요구된다. 리더십 콘텐츠에는 일, 사람, 조직 관리, 변화와 미래 구도를 위한 창의력과 통찰력, 도덕성 함양을 위한 윤리성 등이 포함된다. 리더십 교육은 공동체 의식과 공공선 교육을 통하여 공동선을 달성하는 리더 육성에 중점을 두어야 한다. 지금의 리더십 부재 현상을 극복하기 위해서는 국가적 차원에서 초등학교에서부터 대학교까지 자동적이고 연계적인 리더십 교육 환경을 조성해야 한다.

리더 양성 3단계

리더 수업은 전 생애에 걸쳐서 이루어지는 것이 바람직하다. 리더 양성 수업을 단계화한다면 1단계는 가정에서 펼쳐지는 리더십 교육이다. 가정은 생애 최초로 리더십, 멤버십, 팔로어십 교육을 시행한다. 이 시기는 3세에서 6세까지로 인성 교육인 가치관, 품성, 예절에 비중을 두고 아이를 가르친다. 2단계는 초중고를 비롯한 대학 과정에서 펼쳐지는 학교 리더십 교육이다. 이 시기에는 학업과 함께 리더의 기본 능력을 부여하고 가르친다. 3단계는 직장 생활에서 배우는 직장 리더십이다. 리더와 폴러어의 경험을 하게 된다. 4단계는 사회 리더십 교육이다. 그동안 갈고 닦은 리더십을 제대로 발휘하게 한다.

리더 양성에는 선 교육 후 보직이 효과적이다. 업무에 관련된 것들을 배우고, 여러 직책을 경험할 수 있는 직무 순환이 리더십을 습득하고 발휘하도록 돕는다. 또한 도전적인 과제를 부여하여 목표를 달성하도록 만드는 방법과, 1대1 코칭이나 멘토링 제도 활용 등도 리더 양성에 도움을 준다. 군에서도 비슷한 방법을 사용해 리더를 양성한다. 군에서의 리더십 교육이 기업의 경쟁력과 국가 경쟁력을 높이는 데 기여한다.

리더를 어떻게 육성할 것인가. 유능한 리더가 최고의 경쟁 우위 원천으로 작용함에 따라 이러한 리더를 육성하기 위한 리더십 역량의 개발이 조직의 성공을 좌우하는 큰 이슈로 부각되고 있다. 군 간부를 위한 리더십 개발 교육은 인성과 리더십을 바로 세우기 위한 개인 리더십, 대인 관계 리더십, 공동체 리더십의 3단계에 중점을 둔다. 교육 방법은 교육 대상자(초급 간부)가 지휘할 때 겪는 상황별 문제에 대한 해결 방법을 스스로 고민해서 찾게 하는 것이다. 주요 교육 내용을 살펴보자. 개인 리더십을 배우기 위해 '자기 관리, 분노 조절, 인성' 등에 관한 교육을 하고, 스스로 리더십의 뿌리를 내리도록 한다. 대인 관계 리더십은 '인간관계, 커뮤니케이션, 스피치' 등의 교육을 통해 상하좌우의 인간관계를 아우르게 한다. 공동체 리더십은 '리더십의 부대별, 직책별 실제 사례 교육'과 '팀 빌딩 프로그램'으로 팀워크를 향상해 최종 목표를 달성하도록 한다.

현재 실무 부대에서 근무하는 초급 간부들은 리더십을 발휘하기 위해 '상하좌우의 인간관계 속에서 본인의 위치와 역할을 인식하기 위한 자기 관리', '분노 등 감정 조절 방법'을 배우길 원한다. 조직 내에서 부대원들을 지휘할 때 사용할 수 있는 '동기를 유발하는 의사소통 방법'과, '야전에서 발생하는 상황에 대한 대처방법' 등도 알고자 한다. 따라서 실무에서 실시하는 리더십 교육은 일방적인 주입식 교육이 아닌 부대별, 상황별로 필요한 분야를 정확하게 진단한 후 직책에 맞는 토론식 교육으로 실행되어야 한다. 교육생이 교육을 마치고 실무에 바로 적용할 수 있는 사례 해결 위주의 교육 시스템이 빠르게 정착되길 바란다.

최근 우리나라를 포함한 세계 각국이 심혈을 기울이는 분야가 바로 '인성 교육'이다. 미래 주역들이 개인적으로나 사회적으로 건강한 삶을 살아가기 위해 인성을 갖추는 것이 매우 중요하기 때문이다. 2015년 시행된 인성 교육 진흥법은 '건전하고 올바른 인성을 갖춘 국민을 육성해 국가, 사회의 발전에 이바지함을 목적'으로 한다. 인성 교육이란 '자신의 내면을 바르고 건전하게 가꾸고 타인, 공동체, 자연과 더불어 살아가는 데 필요한 인간다운 성품과 역량을 기르는 것을 목적으로 하는 교육'이다. 인성을 교육하고 함양할 수 있는 여러 가지 방안 가운데 가장 효과적인 것이 바로 체험적 봉사 활동이다. 학교, 기업, 사회단체 등 다양한 조직이 봉사 활동에 참여하고 있다. 이제 봉사 활동은 특정계층에 국한되지 않고 범국민 운동으로 발전하고 있으며, 인성 교육과 시민 교육을 목적으로 학교 교육에 제도화되고 있는 상태다. 군대도 마찬가지다. 인성 교육에 많은 관심을 갖고 부단히 노력하고 있으며, 봉사 활동 참여에도 적극적이다. 육군에서는 군 인성의 개념을 '자기 자신을 바로 세우고 타인과 협력 관계를 구축하며 국가와 세계의 평화와 더 나은 미래 건설을 위해 이바지 하는데 필요한 성품과 역량'으로 정의했다. 군대가 국민 교육 도장의 역할을 성실하게 수행할 때 국민의 군대로서 자리 매김을 확실하게 할 수 있다고 생각한다.

〈사례〉충북 음성 꽃동네 봉사 활동

필자의 사단장 시절, 부대에 전입해 오는 전 장병은 예외 없이 음성 꽃동네(충북 음성군, 소외 계층 보호 사회 시설)에서 2박 3일간의 봉사 활동을 마친 후, 신고를 받고 근무할 부대에 배치했다. 군에 오는 많은 젊은이가 전역 후 장차 어떤 길을 가게 될지 예측할 수는 없지만 직장이나 사회에서 공통적으로 요구되는 인성 형성에 도움을 주고자 하는 발로였다.

처음 이 시스템을 도입했을 때만 해도 반신반의하며 기대보다는 걱정과 우려의 목소리가 더 많았던 것이 사실이나, 실행 후 우리는 예상 밖의 성과와 소득을 얻을 수 있었다. 봉사를 다녀온 장병들은 대개 '자신을 건강하게 낳아 길러주신 부모님께 진심으로 감사'하고, '장애인들의 긍정적인 삶의 모습에서 장차 다가올 어떠한 역경과 고통도 감내해야겠다는 각오'와 '전역 후에도 진심으로 이러한 봉사 활동을 지속하고 싶다'는 소감을 밝혔다.

무엇보다 봉사활동을 갔던 그들 스스로가 오히려 잊지 못할 경험을 했다며 기회 부여에 감사해 했다. 긍정적 반응을 보인 장병들의 소중한 경험이 일회성으로 끝나지 않도록 책임 지역 내 장애인 시설과 대대 단위로 자매결연을 하여 자발적, 지속적으로 활동을 이어갈 수 있도록 장려했던 기억이 난다. 이와 같이 봉사 활동을 통한 인성 교육은 자기 자신을 변하게 하고, 타인과 사회 및 조직 활동에 대한 긍정적인 태도를 갖게 하며, 지속적인 봉사로 사회에 이바지하게 한다.

봉사 활동을 통해 많은 장병이 자신을 재발견하고, 군 생활 중 어떠한 역경도 이겨낼 수 있다는 새로운 인생관을 갖게 되었다. 또, 군 생활은 물론 나아가 인생에 대한 새로운 각오를 하도록 만들어 주었다. 부대 관리 측면에서 사고 예방에도 많은 도움이 됐으며, 불우·소외 계층에 대한 관심 증대와 희생정신을 갖게 해 인성 함양은 물론 장병 정신 계도 및 사회 복지 사업에도 관심을 갖는 계기를 만들 수 있었다.

평범한 조직을 비범한 조직으로 만드는 기술이 소통과 코칭 (coaching)이다. 이제 리더는 대열의 맨 앞에 서서 호령하는 역사 드라마 속 장군이 아니라 뒤에서 챙겨주고, 격려하고, 인정해 주는 자상한 형님 같은 모습을 해야 한다. 코칭은 숨겨져 있는 개인의 잠재 능력을 최대한 끌어내는 것이다. 질문과 대답을 거치면서 부족한 점을 스스로 깨닫고 이를 통해 변할 수 있게 하는 것이다. 직장 동료 등 주변 사람으로부터 360도 피드백을 모아 제공하기도 한다. 코칭은 잘못을 직접 지적하고 해결 방법까지 제시해 주는 게 아니다. 코치가 꼭 필요한 것인가? 혼자서 자기 스스로의 모습을 본다는 게 쉽지 않다. 코칭은 사람의 장점에 주목한다. 상대가 문제가 있다는 가정에서 출발하지 않는다. 더 잘할 수 있게 도와주는 것이다. 세계에서 골프를 가장 잘 치는 타이거 우즈(Tiger Woods)에게도 코치가 필요하다. 코칭할 때 "무엇이 잘못됐는가?"에 대해 묻지 말고, "이런 식으로 다시 해보자"라고 말한다.

코칭은 리더십을 발휘하는 최선의 방법이다. 경쟁력을 높이려면 지속적인 직원 트레이닝이 필수지만, 코칭 없이는 그 효력이 오래가지 못한다. 당연히 지속적인 변화도 불가능하다.

코칭하면 떠오르는 사람이 히딩크(Guus Hiddink) 전 축구 감독이다. 그에 관한 이야기가 수없이 많지만 그중에서도 박지성 선수와의 일화는 두고두고 회자된다. 박지성은 국가 대표 선발 당시 전혀 주목을 받지 못하는 존재였다. 엎친 데 덮친 격으로 예기치 않게 다리 부상까지 당한 그는 혼자 라커룸에 앉아 좌절감을 곱씹고 있었다. 그때 히딩크 감독이 다가와 박지성의 어깨를 두드리며 "너는 정신력이 출중하다. 그런 정신력이면 앞으로 뛰어난 선수가 될 수 있다"고 격려했다. 아무도 그를 눈여겨보지 않던 상황에서 오직 히딩크 감독만이 그의 가능성을 알아본 것이다. 선수 개인에 대한 애정과 통찰력 없이는 불가능한, 시의 적절한 코칭이었다. 박 선수는 나중에 "당시 히딩크 감독의 말 한마디는 '축구 신동'이나 '천재'라는 말보다 훨씬 큰 격려가 됐다"고 고백했다. 히딩크 감독은 현역 시절 유능한 선수는 아니었다. 그러나 그의 지도력이 훌륭한 선수를 만들어내고 경기를 승리로 이끌어 냈다.

히딩크의 코칭 기법은 단순하다. 선수 선발 기준이 실력 위주의 잠재력이었으므로 객관적인 타당성을 가졌고, 잠재력이 있는 선수들에게 끊임없이 자신감과 동기를 불러일으켰으며, 이러한 히딩크 코칭 스타일에 선수들이 신뢰하고 따랐다. 훌륭한 리더는 선수나 직원이 가진 잠재력을 파악하여 스스로 이를 발굴해낼 수 있도록 이끌어준다. 선수 스스로가 만든 틀에 안주하지 않도록 질문을 던지고 필요한 격려의 말을 건넨다. 그렇게 함으로써 자극을 주고 상상력과 창의력을 불러일으킨다.

질문과 코칭

팀원들의 잠재력을 일깨우는 방식을 '코칭'이라고 하는데, 이 가운데 가장 중요한 역량은 '질문 기술(Questioning skill)'이다. 질문을 던지면 행동만 하던 사람(doer)이 생각하는 사람(thinker)으로 바뀐다. 질문이 바뀌면 답이 바뀌고, 질문이 바뀌면 방향과 원칙이 바뀐다. 스스로 동기를 부여하게 되며 자신이 조직의 중요한 구성원이라는 생각을 갖게 된다. 이와 같은 소통과 코칭은 권한 위임을 가능하게 만들며, 때로는 위기 상황 발생 시 대처 능력을 강화시켜 준다. 우리는 '지시-코칭-지원-위임'의 단계를 조직에 적용해 나가는 리더십이 필요한 시점에 이르렀다. 지시 단계의 소통은 리더가 중심인 소통인 반면 코칭, 지원, 위임은 조직 구성원이 중심인 소통이며 이는 결국 구성원들의 조직 몰입을 강화하는 바탕이 된다. 리더의 소통 방식이 리더 중심인가, 팀원 중심인가? 리더는 질문을 통한 코칭을 하고 있는가, 지시나 통제 중심의 티칭(teaching)을 하고 있는가? 리더에게 있어서 소통의 동의어는 '경청'이요, 코칭의 동의어는 '질문'이다.

코칭은 누구나 할 수 있다. 우선 코칭의 세 가지 철학을 살펴보면, 사람은 무한한 가능성을 가지고 있고, 그 가능성을 발현하기 위한 답은 그 사람 내부에 있다. 그 답을 찾는 과정은 파트너(코치)를 필요로 한다.

코칭의 철학에서 알 수 있듯이 코칭은 자신의 문제나 목표를 발견하고 이를 해결하기 위한 답을 스스로 찾도록 지원하는 시스템이다. 문제와 해결책 모두 당사자가 직접 탐색하기 때문에 코칭을 하는 사람이 코칭 능력만 있다면 문제에 대한 전문적 지식을 갖추지 못해도 상관없다. 업무성과 향상, 리더십 함양, 조직 관리, 대인 관계, 연애, 결혼 등등 모든 것이 코칭의 주제가 될 수 있다.

코치(Coach, 코칭하는 사람)는 코치이(Coachee, 코칭을 받는 사람)

가 문제 해결을 위한 방법과 문제 해결 이후의 모습을 구체화할 수 있도록 '발견적 질문'을 던진다. 발견적 질문은 관점의 변화, 망각된 사실의 확인, 비전의 발견 등과 같이 문제 해결을 위한 실마리를 제공한다. 또한 코칭은 과거의 문제나 실수에 주목하지 않으며 현재와 미래에 집중한다. 이런 점에서 코칭은 컨설팅, 카운슬링, 멘토링과 분명히 구분된다. 이들의 차이점은 다음과 같다.

컨설팅은 조직을 대상으로 하고, 성과 향상이 주된 목적이며, 과거와 현재에 초점을 맞춘다. 컨설턴트의 전문성에 의지하며, 컨설턴트가 조언 또는 해답을 제시하는 방법이다. 카운슬링은 개인을 대상으로 하며 심리적 안녕이 주된 목적이다. 과거, 현재에 초점을 두고 카운슬러의 전문성에 의지하며, 카운슬러가 조언 또는 해답을 제시한다. 멘토링은 개인을 대상으로 하고 성과 향상이 주된 목적이다. 과거, 현재에 초점을 두며, 멘토는 자신의 경험에 기반한 해답을 제시한다. 코칭은 개인과 조직 모두를 대상으로 하며, 성과 향상과 심리적 안녕을 동시에 추구하고 ,현재와 미래에 초점을 둔다. 코이치의 말(대화)에 의지하며, 해답을 제시하지는 않는다.

멘토(mentor)는 스승이나 선배처럼 경험과 지식이 많은 사람을, 멘티 (mentee)는 멘토에게 상담이나 조언을 받는 사람을 말한다. 즉, 멘토링 (mentoring)은 스승이나 선배가 지도와 가르침으로 제자나 후배의 역량을 끌어주는 것을 뜻한다. 국내 멘토링 제도는 30여 년 전에 도입되었으나 역사적인 차원에서 살펴보면 훈장 제도를 멘토링 효시로 볼 수 있다. 역사 속에서 멘토링 사례를 찾아보면 개성 상단의 기업 멘토링, 이순신의 멘토인 유성룡, 신윤복의 멘토인 김홍도, 허준의 멘토인 유의태 등이 있다. 알렉산더 대왕의 멘토는 아리스토텔레스였고, 플라톤의 스승은 소크라테스였다.

되고 싶은, 닮고 싶은 사람을 따라하라. 자기 분야에서 경쟁력이 있다고 생각되는 역할 모델 또는 조직 내에서 뛰어난 업적을 올리는 우수 성과자를 자신이 되고 싶은 사람으로 선정하고 그들이 하는 행동을 그대로 따라하는 것이다. 선정된 사람을 롤 모델삼아 그 사람의 사고방식, 일 처리 방식, 리더십, 의사 결정 방식, 인간관계 유형, 심지어 술자리에서의 행동까지 따라 해서 높은 성과를 이끌어 내고자 노력하는 것이다. 멘토링 리더십은 1:1 인재 개발 기법으로, 이는 인간 존중에서 출발하며, 인간관계를 촉진하여 마음을 얻는 것이다. 목적은 차세대 리더 개발 즉 핵심 인재 개발이다. 내용은 인격을 업그레이드하는 것이다.

이미 성공을 거둔 사람들(인간적인 면이나 직업적인 면에서), 존경 받고, 지혜롭고, 윤리적이고, 칭송 받는 사람들 중에서 닮고 싶은 모델을 찾는다. 윗사람, 동료, 고객, 지인 심지어 직접 만날 수는 없더라도 당신에게 무언가 가르침을 줄 수 있는 사람은 얼마든지 있다. 동갑일 수도 있고, 당신보다 나이가 어릴 수도 있다.

최고의 롤 모델을 찾을 때 몇 가지 고려해야 할 사항이 있다. 첫째는 당신이 하고 있는 분야나 다른 분야에서 최고의 사람을 찾아라. 그의 행동과 말을 면밀히 관찰하라. 당신이 모방하고자 하는 말과 행동을 선택하라. 그 모습을 따라 연습해 보고 실천하라. 그 효과를 면밀히 살펴라. 둘째는 절대로 모델을 한 명만 선정하지 마라. 당신에게 필요한 여러 가지 분야의 최고의 사람들을 모델로 삼아 그들에게 배워라. 셋째는 가능하다면 모델을 식사에 초대하라. 그들에게 당신도 그들처럼 되고 싶다고 말하고 도움을 요청하라. 성공한 사람들은 기꺼이 그들의 방법을 알려준다. 넷째는 그들의 기술에 대해서 구체적으로 질문하라. 다른 사람보다 잘하기 위해서 무엇을 어떻게 했는지, 모델의 시간 관리, 자기 관리, 부하 관리 기술 등에 대해서 물어보고 배워라. 다섯째는 모델의 좋은 자질만을 쳐다보아라. 모델이 부정적인 자질을 가졌다면 무시하라. 무시할 수 없다면 더 좋은 모델을 찾아라. 마지막으로 모델을 정해서 그 모델에 관해 연구하라. 만나서 물어라. 만나지 못하면 그들이 써놓은 책 등을 구해서 읽어라. 당신은 자신만의 성공을 이루어 나가게 될 것이다.

필자는 운 좋게 몇 분의 인생 멘토를 만날 수 있었다. 그분들이 하신 생각과 언행을 가까이에서 보고 배울 기회가 있었다. 그분들과 만남을 통해 훌륭한 점들을 따라하려고 노력했으나, 기대만큼 달성하진 못한 것 같다. 하지만 이러한 노력들이 합해져 오늘의 내가 있게 되었다. 그분들에게 깊은 감사를 드린다.

　멘토들 중 한 분에게는 인간의 마음을 움직이는 덕을 배웠고, 또 다른 한 분에게는 인간관계의 중요성을 배웠으며, 또 한 분에게는 인생을 살아가는 데 필요한 소신과 배짱을 배웠다. 다른 분에게는 성품과 인품의 훌륭함과 인격 관리의 필요성을, 또 다른 분에게는 자기 관리와 평생 공부하는 습관, 세상을 살아가는 지혜 등을 배웠다. 반대로 내가 누군가의 멘토가 되기도 했다. 필자가 전쟁기념관장으로 재임하던 시절에 해군사관학교 3학년 여생도 한 명이 학교 숙제로 필자를 멘토로 선정하고 찾아와 면담을 요청해서 대화를 나눈 적이 있다. 자신이 따라하고 싶고, 배우고 싶은 존경할 만한 사람을 찾았다면 롤 모델로 선정하고, 그를 찾아가 개인 지도를 요청하는 것도 성장하는 데 좋은 방법이다. 훌륭한 멘토의 가르침과 조언은 멘티를 발전하게 만들고, 그 결과 멘티는 누군가의 멘토가 된다.

모두가 행복한 사회를 꿈꾸며

인생에 정답이 없듯이, 리더십 또한 정답은 없다. 그러나 모범 답안은 우리 주변에서 얼마든지 찾을 수 있다. 성공할 수 있는 모범 답안을 찾아서 훌륭한 리더십을 발휘하기를 기대한다.

리더십이란 일과 인간관계에 관한 내용이다. 따라서 이 책의 핵심 내용은 다음과 같다. 먼저 리더십의 본질은 인간관계에서 비롯된다. 정상적인 소통이 이루어지지 않고 조직원에게 신뢰받지 못하는 리더는 아무것도 이룰 수 없고, 영향력을 발휘할 수도 없다. 리더는 매일 결과로 평가 받는 '승부의 세계'에 살고 있기 때문에 리더십은 결국 성과에 달려있다고 말할 수 있다. 효과적으로 리더십을 발휘하려면 리더의 풍부한 경험과 함께 독서를 통한 간접 경험도 필요하다.

조직을 이끌다 보면 다양한 문제가 발생한다. 그러한 문제를 해결하기 위해 리더는 인격을 함양하고, 대인 관계 능력과 조직 관리에 대한 식견을 갖추고, 성과를 만들어낼 수 있어야 한다. 이를 위해 효과적인 소통과 신뢰가 이뤄져야하며, 질문을 유도하고 요청할 줄 알아야 한다.

리더에게 필요한 여러 가지 덕목 중에서 윤리성이 가장 중요하다. 아무리 능력이 뛰어나다 하더라도 윤리적, 도덕적으로 흠집이 발견되면 하루아침에 밑바닥으로 추락하고 만다. 우리 사회는 정권이 바뀌고, 기관장이나 지휘관이 바뀌면 전임자가 시행해 오던 정책을 잘잘못을 따지지 않고 무조건 무시하거나 바꿈으로써 시행착오를 반복하고 있다. 이러한 풍토에서 결코 조직의 발전을 기대할 수 없다. 따라서 정책의 계속성과 일관성을 계승·발전시키기 위한 결단이 있어야 하고, 그렇게 하기 위한 리더의 후계자 양성에 많은 관심과 노력이 요망된다.

필자의 경험에 비추어 보면 리더십의 성공과 실패를 결정짓는 중요한 요인은 리더의 성품(character)이요, 열정(passion)이고, 진정성(authenticity)이다. 필자는 업무 추진 과정에서 그러한 중요성을 피부로 많이 느꼈다.

오랜 시간 자료를 수집하고 정리하면서, 독자들에게 도움이 되는 내용을 전하고자 노력하였다. 평소 필자보다 훌륭한 선배들이 주변에 많아서 리더십에 관한 의견을 제시한다는 것이 부담도 되었지만 필자의 성공과 실패의 교훈과 경험을 공유하고자 용기를 내어 집필 작업을 하였다. 앞으로 후배 세대의 리더들은 필자보다 더 훌륭하고 더 뛰어난 성과를 창출하는 리더십을 갖추기를 기대해 본다.

이 책을 완성하고 나서 생각해 보니, 대학 강단에서 리더십 관련 강의를 하면서도 배웠고, 얼마 전에는 리더십 전문기관에서 교육도 받아 보았다. 배울수록 어렵다는 것을 실감하였다. 지금도 리더십에 대해 많이 부족하다는 것을 느낀다. 리더십이란 사람의 얼굴 수(數)만큼이나 상황과 여건에 따라 적용하는 것이 다르고 성과도 다르기 때문이다. 앞으로도 지속적으로 보완 발전시켜야 할 부분이 많다고 생각한다. 세상은 하루가 다르게 변하고 있는데 리더십의 발전은 이를 따라가지 못하고 있다. 변화 관리에 대한 성찰과 연구가 필요하며, 리더 양성 방법에 대한 지속적인 관심과 발전이 이루어지기를 기대한다.

리더십이 거창한 그 무엇이라고 생각하지는 않는다. 가까운 곳에 있는 구성원들에게 다가가 따뜻한 마음으로 편안하게 대해주고, 즐겁게 일할 수 있도록 함께 해준다면 부하들은 자발적으로 동참하게 되고 훌륭한 성과를 창출할 수 있다고 믿는다. 모든 일은 작은 것, 사소한 것에서부터 시작된다.

필자의 오늘이 있음은 본인이 잘해서라기보다 함께한 전우들의 희생과 헌신 덕분이다. 그분들이 없었다면 지금의 필자 역시 없을 것이다. 진심으로 감사드린다.

리더십 능력은 결코 하루아침에 만들어지지 않는다. 꾸준하고 오랜 노력과 성찰이 따라야 한다. 칭기즈 칸이 "한 사람의 꿈은 꿈에 불과하지만 만인의 꿈은 현실이 된다"고 말한 것처럼, 우리나라 사회 각 분야의 리더들이 훌륭한 리더가 되어 좋은 세상을 만드는데 이 책의 리더십 내용이 조그마한 보탬이 되기를 기원한다. 우리 사회의 모든 리더가 행복한 사회를 만들 수 있도록 만인의 꿈을 현실로 만들기 위한 노력들이 있기를 희망한다.

저자 선영제는 육군사관학교를 졸업(육사 25기)하고, 경희대학교에서 경영학 석사를, 전주대학교에서 경영학 박사학위를 받았다. 국방대학교에서 국가안전보장과정을 수료하였고, 서울대학교 행정대학원 국가정책과정, 한국 정보통신대학원대학교 디지털 CEO포럼과정, 카네기 CEO과정을 수료하였다.

임관 후 보병 2사단에서 중대장, 육군사관학교에서 훈육관, 대대장 및 사단작전참모, 연대장직을, 합참에서 작전 주요 보직을 마치고 사단장, 군단장을 거친후 육군참모차장(중장)을 마지막 보직으로 군문을 떠났다.

그 후 배재대학교에서 초빙교수(8년)로, 경기대학교 정치전문대학원에서 겸임교수(1.5년)로 후진을 양성하였다. 전쟁기념사업회 회장 겸 전쟁기념관장직을 수행했다. CBS 정책자문위원, 국방대학교 리더십 센터 자문위원을 역임했다. 국방일보 등에 칼럼을 기고하는 등 칼럼니스트로 활동해왔다.

현재는 국방부 정책자문위원, 대한 리더십 학회 고문, 한국군사문제연구원 연구위원으로 활동 중에 있다.

저서로는 《銀빛 徽章》, 《내 운명은 스스로 만들어 간다》가 있다.

리더십이
답이다

초판 1쇄 인쇄 2018년 7월 2일
초판 1쇄 발행 2018년 7월 10일

지은이 선영제
펴낸이 신학태
펴낸곳 도서출판 온샘

등록번호 제2018-000042호
주소 서울시 용산구 한강대로 208-6 1층
전화 02-6338-1608 **팩스** 02-6455-1601
이메일 book1608@naver.com

ISBN 979-11-959139-0-9 03800
값 15,000원